# Las Siete Llamas Sagradas

Aurelia Louise Jones

Mount Shasta Light Publishing

**Las Siete Llamas Sagradas**

ISBN 978-0-9796723-7-8

Titulo Original: "The Seven Sacred Flames"



English Publication - June 2007
Publicación en Español - Enero 2009

Mount Shasta Light Publishing
PO Box 1509
Mount Shasta CA 96067-1509 USA

Teléfono: 530-926-4599
Fax: 530-926-4159

E-Mail: aurelia@mslpublishing.com
Página Web: www.mslpublishing.com
También: www.lemurianconnection.com



Gráficas de los Maestros: Marius Michael-George
www.MariusFineArt.com

Traducción al Español: Marisela Vázquez Pinto

Diseño de la Portada: Aaron Rose
Composición y Formato: Aaron Rose

Impreso en USA

# *Indice*



## *Las Siete Llamas Sagradas*

# Dedicatoria

Es un honor para mí y un privilegio dedicar este libro a todos los Maestros de Sabiduría de la jerarquía planetaria y a todo el espíritu de la Gran Hermandad Blanca. Este material es publicado como un tributo y con profunda gratitud por la constante devoción de los Maestros Ascendidos, su paciencia, amor y determinación en ayudar a cada uno de nosotros individualmente, y a toda la humanidad en la Tierra, para movernos más de allá de la noche oscura y larga que todos hemos soportado por tanto tiempo.

Esta extensa información, rica y con tanta sabiduría que los Maestros han compartido con nosotros, especialmente en los últimos 100 años, nos ha preparado realmente para el gran despertar que ahora está teniendo lugar para la Ascensión de la Tierra y la humanidad.

También dedico este libro con gratitud a Adama, Ahnahmar y la Hermandad de Luz de Lemuria en Telos, los cuales han mantenido la Llama de la Ascensión ardiendo brillantemente, para el beneficio de los habitantes de la superficie en los últimos 12,000 años; y continuarán haciéndolo hasta que podamos conseguir suficiente madurez y maestría, como raza, para hacerlo por nosotros mismos.

## *Reconocimiento*

Deseo expresar mi profunda gratitud a todos mis amigos alrededor del mundo, los cuales han apoyado mi trabajo y el emerger de la Misión de Lemuria. También quiero agradecer a las varias publicaciones por hacer que el material de Telos esté disponible en sus propios países y lenguajes.

Expreso mi gratitud profunda a todos los miembros de la Fundación Mundial en Montreal, que han trabajado sin descanso, para crear las estructuras que eran necesarias que estuvieran colocadas en preparación para la inmensa expansión de la conciencia humana que se espera ocurrirá entre este momento y el año 2012. Doy las gracias especialmente a Line Ouellet, presidenta de la fundación, la cual ha ofrecido su servicio muchas horas a la semana en los últimos cuatro años para poder asegurar el éxito, la continuación del trabajo y el papel que la Fundación Mundial de Telos está destinada a realizar mundialmente, cuando la humanidad despierte a su verdadero potencial divino.

También deseo dar las gracias a Gastón Tempelmann, presidente de Telos en Francia, el cual trabaja diligentemente para ayudar y preparar la expansión de la Misión de Lemuria en Francia y Europa ahora y en los años venideros.

Sin todos Uds., los milagros de Amor los cuales se manifiestan ahora a través del reconocimiento con nuestra familia Telosiana y la preparación para su aparición entre nosotros, no podría ocurrir de la manera tan maravillosa en la que está teniendo lugar. Aquellos de nosotros que estamos firmemente envueltos en este trabajo, sentimos más y más la calidad tangible de su amor y apoyo constante. A todos Uds., les doy mi profunda gratitud y mi amistad eterna.

También quiero destacar las enseñanzas de los Maestros de Sabiduría canalizados a través de Geraldine Innocenti entre los años 1950 y 1959. Durante ese tiempo, Geraldine, alma gemela del Maestro El Morya, cubrió aproximadamente 15,000 páginas del dictado original de varios Maestros Ascendidos a través de la dispensación del Puente de Libertad. Sus habilidades como canalizadora fueron ¡asombrosas! Los Maestros Ascendidos trajeron a la humanidad una riqueza de información y sabiduría a través de sus habilidades excepcionales. Las enseñanzas dadas a través de los mensajeros Guy Ballard y Geraldine Innocenti en la primera parte del siglo 20 son realmente UNA. Ellas no puedes ser separada ya que se originan desde la misma fuente, complementándose las unas con las otras. Algunas de las informaciones en estos libros como la descripción de los varios retiros vienen de las enseñanzas de la dispensación del Puente de Libertad.

# Prefacio

En la Luz y en el Amor de nuestro Creador, les damos la bienvenida hoy. Con mucha alegría en nuestros corazones les brindamos el conocimiento de las Llamas Sagradas. El material que aquí se presenta les dará la oportunidad para incrementar su comprensión de las enseñanzas de los Maestros Ascendidos. Para aquellos de Uds., que se armonicen a la vibración de cada rayo y cada maestro, iniciarán en su conciencia una experiencia personal con los Chohan y la Hermandad sirviendo en el rayo con el cual se están conectando. Los invitamos a que se reúnan con nosotros cuando Uds. lean nuestras palabras, y cuando se conecten con las palabras invisibles escritas entre las líneas que hablan directamente a su corazón.

Les sugerimos por lo tanto, que cada vez que empiecen a leer este material, tomen un momento de quietud para ir dentro de la cámara sagrada de su corazón, para pedir una experiencia personal con los Maestros sirviendo en el rayo que están contemplando. No duden de pedir sanación, conocimiento y mayor sabiduría. Al leer cada capítulo, sentirán la presencia de los Maestros, y la vibración de ese rayo en particular. Esto les dará la oportunidad de desarrollar una relación personal con varios de los seres ascendidos, permitiéndoles conocerlos más profundamente.

Nosotros nos ofrecemos como mentores y guías en su despertar. Todos nosotros, que les hablamos a Uds. desde las páginas de este libro, somos miembros de una gran familia de luz que los ama entrañablemente. Cada paso de su despertar les ofrece una oportunidad para la alegría y un entendimiento único en su evolución. Se abre para Uds. una puerta en su propia maestría y un asiento para en el consejo de energías que siempre se está expandiendo y que está guiando la Tierra a través de su propio despertar y Ascensión. Gracias Aurelia por poner toda tu mente, corazón y alma en este proyecto.

Nosotros somos Saint Germain, Adama y El Gran Motivador

*Adama*

*Introducción*

# Las Siete Llamas de Díos por Siete Días

### *Adama*

En este momento, yo deseo darles un repaso corto de los siete rayos mayores. Sería muy beneficioso para cada uno de Uds., enfocarse cada día en las energías de uno de los siete rayos mayores, que fluyen en el planeta desde la Fuente del Creador en ese día. Todas la energía de los siete rayos fluyen en el planeta diariamente, pero cada día de la semana, uno de los rayos viene a ser predominante.

Trabajando con los siete rayos de esta manera, les ayudará de una forma profunda a balancear las energías de los siete rayos en cada una de sus chakras a través de sus vidas y les traerá mucho más equilibrio y gracia. En el proceso de ascensión e iluminación, los siete rayos mayores, y más tarde, los cinco Rayos Secretos, deben ser balanceados y aprendidos para poder moverse a una mayor sabiduría y dominación en su futuro cósmico.

En Telos, nosotros trabajamos más efectivamente cada día amplificando en nuestros corazones, nuestras mentes y nuestras actividades diarias, las energías específicas de cada día de la semana. Los invitamos a que experimenten con esto. Uds. van a tener una sorpresa muy agradable cuando descubran, cuán más efectivas son las energías cuando son amplificadas y en que medida eso les va a ayudar.

### *Domingo, el Rayo Amarillo de Sabiduría, Iluminación de la Mente de Díos es amplificado.*

Enfóquense en la Mente de Díos diariamente en todas las cosas, pero específicamente el Domingo. La Mente Divina abrirá sus propias mentes a una Sabiduría que siempre se está expandiendo. La verdadera sabiduría siempre viene desde la mente de una perspectiva y conciencia más grande. Al unir esta mente divina con la de Uds. empezarán a tomar decisiones y conducir sus vidas de una forma que les dará mucha más satisfacción y desahogo.

### *Lunes, el Rayo Azul Real de la Voluntad de Díos es amplificado.*

Enfóquense en la Voluntad de Díos para sus vidas a través de una rendición total a la Voluntad Divina, sin importar cuáles sean sus circunstancias presentes. Esta es la forma más rápida para ganar su libertad y maestría espiritual. Al alinearse Uds. con la Voluntad de Díos, notarán que sus vidas se manifestarán más en armonía. Bañen su mente, cuerpo y alma cada día con esa energía y pronto cosecharán los beneficios.

### *Martes, el Rayo Rosa Rosada del Amor Divino de Díos es amplificado.*

Enfóquense en la transformación e influencias sanadoras de las energías del Amor Divino. El amor es la fuerza que crea, transforma, sana y armoniza todas las cosas. Dediquen un tiempo en su vida para respirarlo y unirse con esta Llama del Amor Divino, que es la llave que los lleva al poder de multiplicación y a todas las cosas buenas que desean. Al unirse con esta Llama en mayor medida, las limitaciones empiezan a disolverse y se convierten en maestros de su destino.

### *Miércoles, El Rayo de la Esmeralda Verde de la Llama Divina de Sanación, la Precipitación y Abundancia es amplificada.*

Enfóquense en las energías de la sanación divina en todos los aspectos de su vida. Esta es una energía que equilibra y calma, y los ayudará para alinear muchas distorsiones que han creado en sus vidas. Invoquen y visualicen este líquido verde, radiante de luz sanadora, resplandeciendo por todas las áreas donde la transformación es necesaria. El Rayo Verde también gobierna las leyes de la abundancia y prosperidad. También invoquen la Llama verde esmeralda para preparar el camino a la manifestación y precipitación de todos sus deseos físicos y espirituales.

### *Jueves, el Rayo Dorado de la Llama de la Resurrección es amplificada.*

Enfóquense en las energías de esta Llama para la resurrección y reintegro de la herencia de su divinidad. Uds. son un ser divino, experimentando una vida humana y aprendiendo de ella. Dado que se han desviado en su conciencia, su divinidad ha sido cubierta. Al Uds. invocar y unirse a la Llama de la Resurrección, empezarán a resucitar todos los regalos y atributos de su divinidad. Junto con la Llama Violeta, esta llama maravillosa los prepara para el ritual final de la Ascensión, el cuál es su propósito principal por muchas encarnaciones en este planeta.

### *Viernes, el Rayo Puro Blanco y Deslumbrante de la Pureza de la Llama de la Ascensión es amplificada.*

Ascensión es la alquimia del matrimonio de la unión divina de su ser-humano con su Presencia Yo Soy, a través del proceso de purificación de todas las energías de Díos que han sido descalificadas a través de muchas encarnaciones. Enfóquense en purificar y aclarar todas las negatividades, creencias falsas, malas actitudes y hábitos que bloquean la manifestación de su maestría espiritual. Llenen su campo aúrico y cada célula de su cuerpo físico, mental, emocional y etérico con esta Llama blanca-pura deslumbrante de la Ascensión. En su meditación, hagan esto con todos los rayos. Es esencial para su progreso espiritual.

### *Sábado, el Rayo Violeta Penetrante de Transmutación y Libertad es amplificado.*

El Sábado, enfóquense en los muchos tonos y frecuencia del Rayo Violeta, el cual es muy mágico. La Llama Violeta trae la frecuencia del cambio, alquimia, libertad de las limitaciones, realeza, diplomacia, alivio y mucho más. Al llenar su campo aúrico y su corazón con las maravillas de esta Llama, su frecuencia empezará a aclarar de su vida los obstáculos y karma que están obstruyendo el camino a la realización de su maestría. Usen el Fuego Violeta lo más que puedan cada día, pero especialmente en el Sábado cuando ese rayo es amplificado en una forma mucho más grande y les servirá muy bien.

Como Uds. ven, mis queridos amigos, todos los rayos son importantes. Ninguno de ellos puede ser descuidado, ni puesto a un lado. Todos ellos trabajan juntos en armonía perfecta para asistir a la restauración de su alma y su paraíso perdido. La Auto-Realización y la Maestría de Díos, provienen de aplicar diligentemente todas estas Llamas. Uds. son el arquitecto "responsable" de su vida. Estas Llamas eternas e inmortales de Díos trabajarán para Uds. al trabajar Uds. con ellas. Nadie puede interferir su libre albedrío y nadie puede hacerlo por Uds. El progreso espiritual viene a realizarse como resultado de la aplicación diaria de las leyes de Díos, las energías a través de los siete rayos principales y la limpieza del karma personal y del cuerpo emocional.

Es muy importante que cada día reserven un tiempo para hacer el trabajo espiritual. Al Invocar las Llamas Sagradas y sus atributos, abren los canales para recibir un entendimiento más profundo de las leyes cósmicas. Respiren, invoquen y llénense con estas energías maravillosas. En su meditación, conéctense con la energía de estas Llamas cuando contactan su Esencia Divina y sus guías, apliquen diligentemente lo que se les ha mostrado a Uds. Busquen levantar el velo de la ilusión finita, y reconéctense con la magia y el poder de

la intención original de Díos para su viaje eterno, en un propósito y destino mayor. Nuestra asistencia también está disponible para Uds. si lo piden; una oración sencilla con una petición desde su corazón nos atraerá dentro de su campo de fuerza instantáneamente en respuesta a su llamado.

# Preámbulo

## El Gran Motivador—
## ¡Aquél Que Personifica la LEY Universal!

***Aurelia***

Es para mí un gran honor y privilegio presentar "El Gran Motivador" a las personas de la Tierra a través de mis escritos. Permítanme explicar en pocas palabras mi entendimiento de quién es él. En las últimas semanas, he tenido la oportunidad y el beneficio de recibir la visita e instrucciones personales de este ser, el cuál en todos los universos, es conocido como "El Gran Motivador."

Me explicó que El es la Personificación de la LEY. Es el que hace la Ley, y supervisa para que la Leyes Universales sean específicamente honradas y obedecidas, a través del Amor y la rendición a la Voluntad de Díos por el beneficio de mantener la Unidad, Paz y Armonía a través de todos los universos. El también personifica el Conocimiento y la Sabiduría. El viaja de un universo a otro, desde una galaxia a otra, y desde un planeta a otro, particularmente visitando lugares donde hay cierta cantidad de discordia por parte de almas rebeldes, las cuales a través de la desobediencia, se han separado ellos mismos de las jerarquías universales y planetarias y han causado disonancia en su planeta. Su papel es investigar lo que está pasando y tomar las decisiones necesarias para restablecer el Orden Divino.

Aún cuando en la Tierra "el libre albedrío" ha sido un experimento, él visita nuestro planeta, de vez en cuando, para evaluar la situación y el progreso del género humano; con frecuencia él remueve de un planeta aquellas almas que rehúsan, vida tras vida, vivir la forma con respeto y amor. Hasta ahora, su identidad nunca ha sido revelada a aquellos encarnados en la tercera dimensión, pero es bien conocido por aquellas jerarquías espirituales que gobiernan las funciones de nuestro planeta. En este momento de Ascensión de la Tierra, él está aquí nuevamente para evaluar el progreso de la humanidad, dar pautas a la jerarquía planetaria para la administración de justicia, para autorizar la disciplina de ciertas almas, para asistirlos a ellos en alineación con la Luz, o para remover almas de esta plataforma de evolución.

Mientras yo estaba trabajando para poder terminar este libro, para su publicación lo antes posible, sentía su presencia conmigo casi constantemente, como un padre amoroso, directamente sosteniendo mis esfuerzos y el nivel de mi energía. En una de nuestras conversaciones, él ofreció darle un mensaje a la humanidad a través de este escrito, el cuál yo me siento privilegiada de presentar y muy agradecida por sus bendiciones.

## El Gran Motivador Habla

Saludos, ¡niños de la Tierra! Es la primera vez que yo me hago conocer conscientemente a los que habitan en la superficie de la tierra. Me siento realmente muy agradecido por esta oportunidad para compartir con los lectores de este material, no solamente mi Amor y Sabiduría, sino más que todo mi energía, la cual fortifica aquellos quienes a través de su obediencia a las Leyes Universales se conectarán con mi corazón.

Entiendan que estas leyes no existen simplemente para fastidiarlos; ellas tienen un propósito importante. Sin ellas, los universos serían lugares con un gran caos. Estas leyes, de las cuales Uds. se tienen que familiarizar, son las que mantienen todo el cosmos funcionando suavemente, planetas en armonía y abundancia, y humanidades experimentando sin límites, paz, amor y verdadera hermandad. La obediencia a estas leyes los mantiene "libre de karma," y LIBRE para disfrutar su encarnación como seres divinos, sin el trauma, dolor, abuso y caos que están experimentando en la superficie de la Tierra.

Cuando la gente de la Tierra, hace mucho tiempo, decidió poner a un lado el amor y la sabiduría de una jerarquía espiritual benevolente y sabia para experimentar la vida sin restricciones, un concepto distorsionando de "libre albedrío," el pedido fue concedido por la Cabeza de Díos como un experimento. El mal uso de "libre albedrío" rápidamente se convirtió en la ley de la tierra y aquellos que tenían agendas personales para su propio uso, tomaron el poder y los esclavizaron en más formas de las que Uds. desearían saber. Esto originó, como Uds. saben, el nacimiento de un mundo de dolor, violencia, guerras, ignorancia, deudas kármicas, y toda la miseria que la humanidad ha sufrido desde entonces.

Todos Uds. anhelan vivir en un mundo de Amor y Luz; pero es importante para Uds. estar conscientes de que en los reinos de Amor y Luz hay estructuras y reglas estrictas, que todo el mundo tiene que seguir explícitamente para que se mantenga la armonía, belleza y perfección. Esta es la única forma de que el "como el paraíso" estado que Uds. llaman cielo pueda existir. El Cielo no es un lugar para ir, mis queridos, es un estado de conciencia que pueden abrazar y crear para Uds. mismos en cualquier momento, aún en su dimensión. Cuando Uds. lo desarrollan, pueden fácilmente crearlo, no importa lo que esté pasando alrededor de Uds., un estado verdadero del cielo en la tierra, en el cual pueden experimentar la vida como graciosa, amorosa, abundante y sin limitaciones. Esta es ¡la LEY! Esto es ¡VERDADERO AMOR! Es más, ellos dos son lo mismo.

Si Uds. desean ascender, y vivir en una dimensión de amor y luz, deben saber y entender completamente las LEYES que gobiernan esa dimensión y mantenerse en un estado de gran belleza y perfección. Deben convertirse en ¡estas leyes encarnadas! Les sugiero que empiecen a practicar desde ahora la obediencia explícita a su jerarquía planetaria espiritual y sus representantes, a su ¡Presencia del Yo Soy! y las leyes de luz y amor. Cuando obtengan esa conciencia, yo los encontraré en el otro lado y sabrán que la LEY ha trabajado en su favor y no en contra suya. Es mi profundo deseo de abogar por su victoria y su transformación. Les ofrezco mi amor y asistencia. Llámenme en cualquier momento que necesiten ayuda.

## Lord Maitreya, El Cristo Planetario

Mis queridos amados niños, ¡YO LOS AMO! Sientan la sinceridad y la profundidad de mi amor. Yo he seguido el curso de su evolución, desde el momento que aterrizaron en este sistema solar, y luego en este planeta, cuando Uds. todavía estaban en ese estado de unidad funcionando totalmente en la majestuosidad y el resplandor de su Presencia del YO SOY. Yo los he envuelto en mi amor a través de la larga noche oscura, cuando escogieron crear las sombras y el karma en la cuál Uds. se encuentran ahora. Yo los seguiré en el camino de vuelta a la realización de su propia Cristiandad, hasta que se puedan volver nuevamente triunfantes, magníficos, LIBRES y Maestros sobre su creación humana.

Yo los pongo sobre aviso para que vivan sus vidas por el amor y a través de la fe, usando el amor para expandir los límites del Reino de Díos, cumpliendo el destino individual de su propia vida, y haciendo del Universo donde pertenecen un lugar más dulce, más magnífico y glorioso.

Mis queridos niños de mi corazón, "benditos sean" aquellos de Uds., cuyos corazones han tomado el interés en llegar a ser los que enseñen el camino a los niños de la Tierra. Bendita sea la Luz que brilla a través del doblez de su alma individual, el poder que los motiva, que los impulsa hacia delante y el cual mantiene sus pies sobre el camino de la Luz.

En la Jerarquía Espiritual, Yo mantengo en el momento presente la responsabilidad de la Oficina del Cristo Planetario. Este cargo es mantenido, mis amados, por aproximadamente 14,000 años por un solo Ser; y luego otro que ha sido calificado acepta el mismo. El previo Cristo Planetario se mueve hacia un servicio más grande para promover la voluntad de Díos a través de todo el universo. Durante el ciclo de 14,000 años, el Cristo Planetario tiene siete oportunidades mayores de desarrollar una educación espiritual y religión dentro de siete ciclos de 2,000 años cada uno, el cuál bendecirá a aquellos que se están desarrollando en el planeta.

El Cristo Planetario trabaja directamente con el Maha Chohan de cada ciclo para desarrollar una descarga doble de bendiciones, lo cual estimula los centros espirituales particulares, que son nutridos sucesivamente por cada uno de los siete rayos. A través de estos, la conciencia de la mente de las gentes puede ser elevada para cooperar con el movimiento espiritual del ciclo cósmico actual.

Uds., que son los maestros de esta época, para representar al Maestro Saint Germain como Pastores de la raza, deben desarrollar destreza de pensamiento, control de los sentimientos, y una presentación elocuente de las Leyes espirituales con sus aplicaciones. Deben ser capaces de mover los corazones y los centros espirituales de las almas que les han sido entregadas a Uds., para que sus enseñanzas tengan el efecto transformador que se pretende.

Yo traje hoy conmigo al Elohim Casiopea, cuyo poder concentrado de iluminación tiene la capacidad de sostener dentro de la mente el diseño divino y el patrón de Iluminación. Yo también traje al poderoso Arcángel Jofiel, cuya radiación de los sentimientos de Iluminación, mueve las aspiraciones espirituales y motiva la elevación del cuerpo emocional hacia la Cabeza de Díos. A través de la actividad doble de nutrir ambos, lo mental y los sentimientos conscientes, entenderán más completamente las cualidades particulares que se necesitan desarrollar, para poder enseñar a la gente de la Tierra en los días y años venideros. Permitan que los bañe en el resplandor de mi amor y en la paz de mis sentimientos. Yo Soy Maitreya, el Cristo en Uds.

## La Jerarquía Planetaria Espiritual y Mas Allá

La Orden de los Maestros de la Sabiduría, la Hermandad de Shamballa, El Cristo Planetario, la oficina del Maha Chohan y los Siete Chohans de los Rayos, son el cuerpo principal de Seres de los Reinos de la Luz, constituyendo la Jerarquía Espiritual para el planeta Tierra. Actualmente, es algo más complejo, pero mi intención aquí es darle una idea básica de quién gobierna el trabajo de nuestro planeta. Las diferentes jerarquías para este o para cualquier planeta, pueden describirse como un conjunto de jerarquías funcionando dentro de órdenes jerárquicos mayores, todos trabajando juntos en amor, armonía y unidad por el beneficio de la colectividad.

Aquellos que ocupan estos cargos son considerados, entre los seres más altamente evolucionados de la Gran Hermandad Blanca trabajando para la Tierra. La Jerarquía Espiritual de la Tierra funciona como un complejo gobierno y comprende muchos escalones. No está dentro de mi tarea explicar esto en detalle. Para poder cubrir este tema a fondo necesitaríamos escribir un libro aparte. Sin embargo, es mi deseo darle al lector alguna idea de nuestro gobierno espiritual, quién está a cargo de los varios departamentos y qué papel llevan a cabo esos seres. Estas oficinas en la jerarquía son permanentes, pero aquellos que llenan esos cargos, cambian de tiempo en tiempo, así como lo hacen los de las posiciones del presidente, o el primer ministro en sus gobiernos humanos.

**Helios y Vesta** son Los Padres Dioses y patrocinadores de este Sistema Solar. Ellos gobiernan y sostienen la energía para todos los planetas de nuestro Sistema Solar.

**Lord Sanat Kumara,** el gran Jerarca de Venus, ha sido el gran director del plan para la Tierra durante 2½ millones de años aproximadamente, quizás más largo. Hasta hace poco, él estuvo aquí la mayor parte del tiempo, pero ahora ha regresado a su hogar en Venus, ya que él también está a cargo de ese planeta. Pero él continúa su trabajo aquí para la Ascensión del planeta y la culminación del ciclo oscuro. Y según tengo entendido mantendrá sus servicios a la Ascensión de la Tierra hasta el año 2012. Muchos seres han sostenido posiciones en la jerarquía durante mucho tiempo, y eventualmente se moverán a su siguiente nivel. Ellos están en este momento entrenando activamente aquellos que van a reemplazarlos.

Como no se sabe bien quién va a reemplazar a quién, yo les daré la información como la conozco. Aún cuando se espera que muchos cambios sucedan después de la Ascensión del planeta, ellos no pasarán inmediatamente. Las varias oficinas en la Jerarquía Cósmica, llevadas por los Grandes Nobles de la Luz en el momento presente son descritas abajo.

Cuando estos seres evolucionen, se moverán a unos niveles más grandes de servicio y serán reemplazados por aquellos que han obtenido el nivel necesario. Aquellos que toman una oficina nueva son normalmente entrenados por varios siglos para llenar su nueva posición. Los cambios en la jerarquía tienen lugar durante un período muy largo. El que se mueve tiene todo el tiempo que necesita para entrenar a su reemplazante.

**Lord Gautama Buda** es conocido por ser el Buda planetario, llevando el título de "Noble del Mundo." En su momento, él es el que va a tomar el puesto de Sanat Kumara como el Filósofo Planetario.

**Lord Maitreya** ha ocupado la oficina del Cristo Planetario por miles de años. El es conocido por su gran amor y profundo entendimiento de la humanidad. En su posición en la Oficina de Cristo, es asistido grandemente por Lord Sananda. Cuando Uds. hacen la petición para su candidatura para la Ascensión, su pedido es examinado por Sanat Kumara, Lord Maitreya y Lord Sananda. Los tres deben aprobar si el candidato está listo, para que la ceremonia de la Ascensión se lleve a cabo.

**Lord Sananda** *(también conocido como Jesús)* y Master Kuthumi mantienen la oficina de Maestros Mundiales para el planeta.

Los Siete Chohans de las Rayos son encabezados por el Maha Chohan, el cual es otro nombre del representante del Espíritu Santo para este planeta. Es reconfortante saber que el Espíritu Santo no es sólo una Paloma. El es un Ser de un gran logro, el cuál emite suficiente Luz para radiar el amor confortante del Espíritu Santo por todo el planeta, llenando cada hombre, mujer y niño, y todas las formas de vida con su mantel de amor en beneficio del Creador.

**Maha Chohan:** El Cabeza de los Chohans de los Siete Rayos, representante del Espíritu Santo para la Tierra. Esta oficina es ocupada por Pablo Veneciano, el cual también es el Chohan del Tercer Rayo.

**1° Rayo** - Maestro El Morya
**2° Rayo** - Lord Lanto, asistido por el maestro Kuthumi y Dwjal Khul
**3° Rayo** - Maestro Pablo Veneciano, también el Maha Chohan
**4° Rayo** - Lord Serapis Bey
**5° Rayo** - Maestro Hilarión
**6° Rayo** - Lady Nada con Lord Sananda, su alma gemela
**7° Rayo** - Maestro Saint Germain

Todos estos departamentos tienen muchas sub-divisiones. Como habrán notado, algunos maestros mantienen más de un cargo en este momento. Tengan en mente que cada uno de los rayos representa una de las siete llamas ó los siete atributos de Díos, del Espíritu Santo. También hay cinco rayos secretos.

**Los Siete Miembros de la Junta Kármica y los Nobles del Karma:** Este grupo noble de seres juega una parte importante en la jerarquía espiritual. Aparentemente ellos tienen la última palabra en la mayoría de las decisiones mayores. Son los que tienen la autoridad para distribuir otorgamientos por el beneficio de la humanidad, o restricciones, cuando la civilización abusa de los privilegios y de las oportunidades para su evolución. A menos que haya habido cambios recientes, de los cuales no estemos conscientes, ellos son los siguientes:

- El Gran Director Divino *(Patrocinador de la Séptima Raza Raíz)*
- Amada Kuan Yin *(Diosa de la Compasión)*
- Lady Nada *(Diosa del Amor)*
- Palas Atenas *(Diosa de la Verdad, alma gemela del Maha Chohan)*
- Lady Portia *(Diosa de la Justicia, alma gemela de Saint Germain)*
- Diosa de la Libertad *(Patrocinadora de la Llama de la*

*Libertad para América; Su estatua está erigida en la Bahía de Nueva York)*

- Amada Ciclópea *(Elohim de Díos, sirviendo en el 5° Rayo, también conocida como Vista)*

## Reflexiones sobre la Junta Kármica por varios de los Chohans de los Rayos

*Canalizado por Geraldine Innocenti - Puentes de Libertad*
*Extracto de las enseñanzas de los Chohans de los Rayos*

**Maha Chohan:** Pocos dentro del género humano conocen del gran servicio prestado a la humanidad por los Nobles del Karma. El nombre "Nobles del Karma" genera mucho miedo, temiendo ser castigado, entre aquellos que no entienden la naturaleza del significado servicio de por vida. Pero en los últimos tiempos el amor y la gratitud del género humano se han elevado hacia este augusto grupo de Seres por su servicio de compasión, en lugar de castigo.

**El Morya:** Justicia Divina, absoluta exactitud en balancear el uso de la vida personal, planetaria y universal, es ¡LEY! Los Nobles del karma son instrumentos de la Ley. Los miembros de esta Junta sirven para dar a cada alma una oportunidad para crecer espiritualmente, para desarrollar y exteriorizar la porción del plan divino que puede ser expresado solamente a través de esa corriente de vida en particular.

**Kuthumi:** La Ley del Círculo creando causas y cosechando, su efecto, ultimadamente, es inexorable. Energía, que ha sido atraída y usada, debe regresar al que la envió, como felicidad, si la energía fue usada constructivamente, o desdicha, si la energía fue usada en forma dañina. Cuando un alma llega al momento de pedir a Díos ayuda por sus acciones del pasado para establecer su alma en orden divino, con las leyes de amor otra vez, es entonces cuando los Nobles del Karma pueden darle mucha y mayor asistencia.

**Pablo de Venecia:** Porque el karma es creado por el alma individual, algunas veces es muy grande, los Nobles del Karma con compasión aguantan el regreso de todo el karma individual en una sola vida. Así, el alma es permitida mitigar solamente tanto karma en una sola encarnación como los Nobles del Karma sienten que puede manejar. Esto es el verdadero amor divino, en respeto, mucho karma negativo es conscientemente aguantado del individuo hasta que él haya aprendido como transformarlo en felicidad y paz.

**Serapis Bey:** Cuando un individuo desea convertirse en un "candidato para la Ascensión" y pide por la oportunidad de "limpiar sus antecedentes" de toda el karma negativo, los Nobles del karma deben estar todos de acuerdo de si el candidato tiene la fuerza necesaria, fortaleza, fe, iluminación y capacidades generales, para emprender el balancear la escala de la justicia en una sola vida. Sin embargo, algunos individuos que han redimido el karma negativo creado previamente, a través de una larga serie de encarnaciones, solo tienen una pequeña deuda que "pagar" al universo en su encarnación final.

**Hilarión:** Es la responsabilidad de los Nobles del Karma ver que cada individuo reciba tanta asistencia como sea posible en transformar el karma negativo creado a través del mal uso del libre albedrío. Al final de cada vida en la Tierra, el alma es llamada delante de la Junta Kármica y sus experiencias son evaluadas. Las oportunidades, el potencial de servicio, los errores aparentes y todos los sucesos son examinados cuidadosamente. Entonces, la Junta Kármica manda al individuo a una esfera de reposo y aprendizaje donde puede ser preparado mejor para otra re-encarnación en la Tierra, fortalecido a través de purificación, instrucción y respiro temporal de las presiones de su propia retribución kármica.

**Saint Germain:** Reflexiona bien en el poder de Compasión y la Llama Violeta, para disolver la causa y el centro de la pena y el dolor generado por el regreso del mal uso en el pasado del libre albedrío. Entonces, resuelve disolver los efectos antes que aparezcan en tu vida, conscientemente pueden usar el Fuego Violeta en acción, para hacer esto invóquenlo diariamente y cada hora. Esto los ayudará a transformar la energía negativa incrustada en todos los cuerpos y sanar las emociones conectadas con esas energías, abrazando un nuevo nivel de conciencia. El momento que han reunido los Maestros Ascendidos en su plenitud sobre el uso efectivo de la Llama Violeta, está disponible para todos y cada uno de Uds. que escojan pedirlo dentro de su mundo en este momento. Mientras más y más individuos aprenden la eficacia del poder de transmutar a través de invocar la acción del Fuego Sagrado, más tendremos en la Tierra una hermandad de Libertad la cual pueden, a voluntad, liberarse ellos mismos y otros del lado oscuro de la vida.

**Hay también los Siete Manus patrocinando cada una de las Razas de las Siete Raíces:**

- Los nombres de los Manus de las primeras tres razas raíces no se conocen. Ellos cumplieron su servicio en este planeta y ascendieron hace millones de años.
- El Manu de la 4° Raza Raíz es Lord Himalaya
- El Manu de la 5° Raza Raíz es Lord Vaivasvata
- El Manu de la 6° Raza Raíz es Lord Menu
- El Manu de la 7° Raza Raíz es El Gran Director Divino *(el tutor de Saint Germain)*

Todos los arriba mencionados trabajan en cooperación con el Consejo de los doce de la Federación Galáctica encabezada por el Comandante Ashtar y Lord Melchor. El Consejo de la Federación Galáctica representa la jerarquía espiritual para esta galaxia, la cual es mucho más grande que nuestro sistema solar. Ellos, a su vez, trabajan en colaboración con, y son responsables ante el Consejo de los Doce de la Federación Universal. Y esto sigue y sigue, de vuelta al Creador Supremo.

En el nivel Universal, Lord Melchizedeck, percibido como una "Figura Paternal," es conocido como el Gran Noble de este Universo. Su gran Luz y Amor, personifica e irradia a través del Universo entero. La Orden de Melchizedeck se expande en sí misma, en varias ramas por cada una de sus muchos sistemas solares. Las personas que están evolucionando en la Tierra, pueden también aplicar para ser admitidas dentro de esta Orden Sagrada única; ser aceptado dentro de esta Orden es una actividad de "Los Planos Interiores." Nadie puede ser admitido dentro de esta Orden Sagrada, a menos que él/ella sea iniciado por el mismo Melchizedeck. No es una actividad del "mundo de afuera."

Aquellos que realizan ceremonias, y cobran una larga suma de dinero para registrar a sus seguidores dentro de la Orden, no tienen un entendimiento completo de cuán sagrada es. En muchos casos, solamente se tiene la experiencia de una ceremonia y nada más, sin asegurar la admisión. Muchas almas queridas pueden caminar sobre la Tierra como miembros totales de esta Orden Sagrada, sin conocimiento "externo"de su asociación. Otros que profesan abiertamente ser miembros, pueden ó no serlo. La admisión es determinada por el nivel de buena voluntad para el servicio de por Vida y el Amor y por el nivel de iniciación del aspirante.

Entiendan, que este Universo, así como también toda la Creación está muy bien mantenida por una larga e indestructible cadena de Amor, actuando como la jerarquía espiritual, expandiéndose siempre a niveles más grandes de Amor y Luz.

Ninguno de ellos mantiene estas posiciones por un deseo de poder. En los altos reinos, es el grado de Amor incondicional y Servicio sin egoísmo, lo que determina el grado que se ha alcanzado.

Los sistemas de funcionamiento de los gobiernos que nosotros tenemos en este momento en la Tierra, no benefician las razas, y distorsionan totalmente los principios de las leyes divinas y la jerarquía. La forma de gobierno que tenemos es anticuado y al evolucionar la conciencia de la humanidad, será reemplazado gradualmente por conceptos más iluminados de gobiernos divinos.

Solamente aquellos que han obtenido el nivel más alto de Luz y Amor, serán permitidos gobernar después de la Ascensión de la Tierra en el año 2012. Esto será parte de los requisitos, los cuales califican aquellos que sostienen esas posiciones sagradas. Este escrito no podría estar completo sin mencionar dos niveles más de la jerarquía. Sus servicios no están limitados a este planeta porque ellos son Seres Universales. Sin embargo, dada su gran presencia aquí, es importante mencionar sus servicios.

**Los Siete Grandes Elohim y sus Parejas Divinas:**

- Elohim del 1° Rayo - Hércules y Amazonía
- Elohim del 2° Rayo - Apolo y Lumina
- Elohim del 3° Rayo - Heros y Amora
- Elohim del 4° Rayo - Pureza y Astrea
- Elohim del 5° Rayo - Ciclópea *(Vista)* y Virginia
- Elohim del 6° Rayo - Paz *(Tranquilidad)* y Aloha
- Elohim del 7° Rayo - Arcturus y Victoria

Los Elohim son constructores de formas, representando la conciencia del Padre. Ellos son parte de la Cabeza de Díos y son aquellos que crean universos, galaxias, sistemas solares, planetas, etc. Ellos sostienen toda la Creación con sus Luces, que son de una magnitud tan grande, que la mente humana no puede comprenderlo. Ellos han creado este planeta Tierra con sus amor y devoción a la Luz. Sus nombres están compuestos de sonidos y frecuencias; sin embargo, en su gran amor por nosotros y como una cortesía, nos han dado nombres con los cuales nos podemos relacionar con ellos, de una forma más personal e individual. Estoy segura que ellos son llamados por otros nombres en otros lugares.

**Los Siete Grandiosos Arcángeles y sus Complementos Divinos:**

- 1° Rayo Arcángel Miguel y Fe
- 2° Rayo Arcángel Jofiel y Cristina
- 3° Rayo Arcángel Chamuel y Caridad
- 4° Rayo Arcángel Gabriel y Esperanza
- 5° Rayo Arcángel Rafael y María *(Madre de Jesús)*
- 6° Rayo arcángel Uriel y Aurora
- 7° Rayo Arcángel Zadkiel y Amatista

Estos Grandiosos Arcángeles, son los gobernantes de los doce tronos del Reino Angélico, el cual representa un aspecto diferente del Espíritu Santo en el Cosmos. Ellos son los sirvientes administradores de la Creación de Díos.

**Por último, pero no menos importante, deseo mencionar a nuestra Amada Madre Tierra.** Ella realmente es nuestra Madre, la cual ha apoyado nuestro camino evolutivo por millones de años. Ella es conocida por muchos como Madre Gaia, un nombre usado principalmente por los habitantes de la superficie en este momento. Esto no es incorrecto, sin embargo, en los Planos Internos ella ha sido conocida por millones de años como Amada Virgo. Su complemento Divino es Pelleur. Ella es un ser viviente y consciente, de una gran realización, y de un Amor y Paciencia excepcional. Ella ha recibido mucho abuso por parte de la humanidad y muy poca gratitud. ***¡Vamos a honrarla y reconocerla hoy!***

Ella es considerada por la jerarquía espiritual de este planeta, el Universo y más allá, como Uno, y está elevada en el más grande respeto y admiración por su coraje y persistencia. Ella ha sufrido en Su Cuerpo más guerras, abuso y trauma que cualquier otro ser haya tenido. Y, sin embargo, ella ha escogido aguantar su propia ascensión para poder llevarse con ella la máxima cantidad posible de sus niños. Ella ha amado incondicionalmente a todos los seres de sus muchos reinos. Ha proveído un planeta de belleza y perfección sin límite. Somos nosotros los humanos, que hemos intoxicado su cuerpo y creado fealdad aquí. Son nuestros pensamientos y acciones de discordia, que están creando los patrones de un tiempo revuelto, el cual tenemos que soportar. Cuando regresemos a vivir en el Amor verdadero y Hermandad, volveremos una vez más a tener un tiempo perfecto y moderado todo el año.

A través de este escrito, he tratado de responder preguntas que han sido hechas con frecuencia, por muchos de los que buscan. Esta cadena de la jerarquía va hacia las dimensiones más altas de la Cabeza de Díos. Es mucho más vasta de lo que conocemos y más complicada a lo largo del camino. Tenemos esta información, solamente porque los maestros ascendidos han escogido revelar todo esto para nosotros. Esta información es una gran bendición. Podemos usar estos nombres para llamar a lo seres de estas jerarquías en nuestras oraciones y meditaciones, para ayuda y guía, la cual ellos siempre están más que dispuestos a ofrecer.

## Jerarquías Internas de la Tierra

Todas las jerarquías mencionadas arriba, también trabajan muy estrechadamente y en total colaboración con las jerarquías internas de la Tierra, las cuales están involucradas en ayudar en la Ascensión del planeta y de la humanidad. Quién está a cargo, y cómo funcionan, no es bien conocido por los habitantes de la superficie. Permítanme mencionar algunos de ellos.

**La Jerarquía de la Red de Agartha** es responsable de los gobiernos del interior de la Tierra, de las varias civilizaciones y Ciudades de Luz

**Los Maestros de Sabiduría de la Hermandad de Shamballa**
Ellos están a cargo de la evolución de los habitantes de la superficie. El Amado Sanat Kumara mantiene la dirección y autoridad para este planeta, en su retiro en la ciudad de Shamballa, una Ciudad Interna de Luz.

**El Consejo de Lemuria de Luz** es responsable de la ciudad de Telos. Los Telosianos están muy envueltos en este momento en asistir la Tierra y la humanidad, en su proceso de Ascensión. Ellos han sido elegidos para enseñarnos, cuando llegue el momento, para construir nuestras propias ciudades de Luz en la superficie y para formar nuestros propios gobiernos de Díos, basados en el modelo de los conceptos de Luz y Amor, el cual ha sido seguido por todas las civilizaciones iluminadas a través de todo el Universo. Ellos son nuestros tutores del presente y futuro, que nos enseñarán los principios de la conciencia de Cristo en acción y su aplicación. Yo les estoy dando a ellos el nuevo título de **"Tutores de la Conciencia de Cristo,"** porque ellos han personificado esto completamente en sus vidas diarias.

En los últimos miles de años, estos nombres no se conocían y la gente de la Tierra no tenía acceso a esta gran ayuda que supone el llamar a estos Seres de Amor maravillosos para ayudarnos y guiarnos en nuestro camino de regreso a la Libertad Eterna, a través del proceso de la Ascensión. Deseo que todos Uds. sean ¡bendecidos por estos nombres! Usenlos con un profundo respeto y gratitud. Les harán un buen servicio.

Las Siete
Llamas Sagradas

*Maestro El Morya*

# Capítulo Uno

## El Primer Rayo:

## La Llama de la Voluntad de Díos

**Cualidades de Díos y acciones principales del Primer Rayo:**
Omnipotencia, protección, fe, la voluntad de Díos
a través del poder del Padre.

Chakra correspondiente: La Garganta
Color: Azul
Piedra Correspondiente:
Lápiz Lazuli, Zafiro, piedra de Pavo Real, Agate Azul

**Chohan del Primer Rayo**:
Maestro El Morya
Su Retiro: El Templo de la Voluntad de Díos, Darjeeling, India

**Arcángeles del Primer Rayo con el Complemento Divino**:
Miguel y Fe
Su Retiro: El Templo de Fe, Banff y el Lago Louise, Canadá

**Elohim del Primer Rayo con Complemento Divino**:
Hércules y Amazonia
Su Retiro: Half Dome, Sierra Nevada, CA, USA

## Acerca del Maestro El Morya

El Maestro El Morya es un gran jerarca espiritual de la Hermandad del Diamante del Corazón. Su actividad de servicio y vida es guardar y proteger los enfoques espirituales creados como centros del corazón en el movimiento del mundo y las religiones, protegiendo cualquier idea específica de Díos que beneficiará la raza humana y apresurará su evolución. Más aún, él es el jefe del Consejo de Darjeeling de la Gran Hermandad Blanca en India, Chohan del Primer Rayo y jerarca del Templo etérico de la Voluntad de Díos. El Morya representa los atributos divinos del Primer Rayo los cuales son: coraje, fe, iniciativa, confianza, poderes divinos, confianza en sí mismo y certeza. Estas son las cualidades de los principios del Padre.

## Encarnaciones de El Morya

- Abraham (2100 AC), él fue el primer patriarca Hebreo y progenitor de las doce tribus de Israel.

- Melchior, él fue uno de los tres hombres sabios en el nacimiento de Jesús.

- El Rey Arturo (5° Siglo DC), él se convirtió en el líder de la Escuela de Misterio en Camelot y guardián de las enseñanzas internas.

- Tomás Beckett (1118–1170), él fue el Lord Canciller de Inglaterra.

- Sir Tomás Moore (1478–1535), él fue conocido como el "hombre para todas las estaciones."

## Templo de la Buena Voluntad

El templo del Primer Rayo es un palacio blanco magnífico localizado en Darjeeling, India. Desde los escalones del palacio uno mira sobre la grandiosidad y majestuosidad de los Himalayas y su cresta siempre alzándose de cumbres cubiertas-de nieve.

El salón principal del templo es verdaderamente ¡exquisito! El Altar, el cual mantiene el enfoque del Fuego Sagrado del Primer Rayo, está compuesto de radiantes zafiros y diamantes azules. La alfombra es de un azul eléctrico y las ventanas son del más fino vidrio con colores. Aquellos que entran al bello templo de El Morya, contemplan la llama azul real en el altar de diamantes y zafiros. Arrodillándose delante del Jerarca y tocando el ruedo de su aura espiritual, le añade a la llama del iniciado su propio momento cósmico de obediencia amorosa, de buena voluntad y alegría iluminada a la Voluntad de Díos. Hay un gran sentido de cálida bienvenida y amabilidad, la cual irradia desde su enfoque.

Su bello hogar y el templo situado en las colinas fuera de la ciudad de Darjeeling, está dedicado no solamente a la Voluntad de Díos, sino también a la promoción del gobierno nacional y mundial basado en los más altos principios de gobierno de Díos.

El propósito de mantener este retiro abierto es principalmente para magnetizar, sostener e irradiar la conciencia positiva de la Voluntad de Díos dentro de la atmósfera de la Tierra, y contrarrestar la aceptación negativa de cada distorsión creada por la mente humana. Por lo tanto, es de importancia vital tener a un número de almas que no han ascendido, para llevar las virtudes particulares de una llama específica dentro de la atmósfera de la Tierra y sostenerla a través de la devoción, constancia y aplicación de la Ley.

Sin la presencia de individuos en su dimensión, los cuales gustosamente ofrecen su tiempo y energías para magnetizar, sostener e irradiar las virtudes de la Divinidad en su esfera de vibración, no habría estímulo de la chispa divina dentro del género humano para evolucionar más constructivamente. Cada discípulo que se "sintoniza dentro" de uno de los siete rayos, viene a ser un centro radiante de esa virtud en particular a la cual se ha consagrado a sí mismo, ya sea que esté completamente consciente a un nivel de conciencia ó no.

Por lo tanto, el discípulo viene a ser las manos, pies y corazón para que la Jerarquía Espiritual pueda alcanzar, a través del velo de la creación humana, dentro de las mentes y corazones de los hombres. Aquellos que responden son aceptados en una sociedad espiritual, entre la jerarquía y las masas que no se han enterado todavía de la existencia de los Ascendidos y de las Huestes Angélicas, ni tampoco el servicio que estos Grandes Seres contribuyen a su evolución.

El Amado El Morya, junto con el Maestro Kuthumi y muchos otros maestros, están determinados a brindar al mundo occidental el conocimiento de la conciencia verdadera evolucionada, a través de las enseñanzas de los Maestros Ascendidos.

## Transmisión desde el Corazón del Amado El Morya

Desde mi hogar y retiro en Darjeeling, les traigo saludos de la Hermandad de la Voluntad de Díos, cuyo credo espiritual es "Yo Deseo". También les traigo los atributos de mi Corazón de Diamante, el cual se regocija por esta oportunidad de compartir la multitud de diamantes mi corazón sostiene para aquellos de Uds. que están estudiando los potenciales ilimitados de las Llamas Sagradas. Los escritos de este material han sido planeados por muchos de nosotros de la jerarquía espiritual por casi un siglo y fue parte del contrato de Aurelia de realizar esta tarea con nosotros antes de su re-encarnación.

Saben, mis queridos, el tiempo de permanecer en la conciencia que los mantiene atados a los muchos retos de la realidad de su tercera dimensión está llegando al final. Y por todas las quejas que oímos de una gran parte Uds. en nuestro lado del velo sabemos que la mayoría, sino todos, han aprendido lo suficiente como es la vida en la superficie y le están dando la bienvenida a los cambios. Pero consideren, que los cambios que Uds. tienen la esperanza de experimentar para sí mismos no pasarán automáticamente. Tienen que crearlos primero en su conciencia, antes de que puedan ser materializados en su mundo. Las experiencias de su vida personal son siempre espejos de su conciencia, no importa lo que esté pasando fuera ó alrededor suyo.

Uds. ya saben que la Tierra ha escogido Su Ascensión y la vida en este planeta como la conocen en el momento presente, pronto cambiará drásticamente. ¿Se han preparado en su conciencia y en su maestría de Díos para abrazar, darle la bienvenida y adaptar a todo lo que está por transpirar en su planeta? ¿Están dispuestos a desapegarse del viejo estilo de vida anticuada y materialista al cual están tan acostumbrados, para hacerle espacio a todos los cambios positivos que necesitan instaurarse en la superficie, para poder acomodarlos dentro la Nueva Edad Dorada de Iluminación? ¿Están dispuestos a transformar sus miedos en Amor, para poder montarse en la ola de la Ascensión con la Tierra en gracia y dignidad?

¿Están listos para arremangarse y salir de su complacencia presente, para tomar parte en la creación del nuevo mundo? Estas son algunas de las preguntas que necesitan hacerse a sí mismos y contemplar seriamente, para poder obtener su maestría. No pueden venir a ser maestros ascendidos simplemente deseándolo; necesitan empezar a practicar pensando, hablando, actuando y sintiendo como un maestro ascendido, para poder obtener la vibración que les permitirá convertirse en uno. Esto es lo que nosotros enseñamos en los Grandes Templos Interiores y en los Templos de las Llamas, cuando vienen en la noche durante su tiempo de dormir y sus almas lo recuerdan en su vida diaria.

Reflexionen en las prioridades de su vida en este momento. ¿Qué intereses ó deseos ocupan más su corazón? ¿Es venir a ser un maestro ascendido a través de su Ascensión, su más grande deseo y prioridad? ¿Están poniendo a un lado cada día suficiente tiempo para comunicarse y unirse con el asiento de su divinidad, dentro de su Sagrado Corazón para ganar completo entendimiento de cómo llegar a ser uno? En una transmisión pasada, que Uds. encontrarán en este libro, Adama sugirió que cortaran "Listas Pendientes por Hacer" a la mitad y que simplifiquen sus vidas dramáticamente para poder consagrar más tiempo a su avance espiritual. ¿Han escuchado su consejo?

¿Están escogiendo crear su ascensión con la Tierra, o están escogiendo esperar a que ocurran los eventos simplemente esperando lo mejor? Además de rendirse a la Voluntad de Díos, las cualidades de Díos que necesitan desarrollar para poder pasar las iniciaciones del Primer Rayo son: coraje, fe, iniciativa, seriedad, constancia y confianza en sí mismo.

El sostenimiento de la Tierra en este sistema planetario es debido al Amor y dedicación de Sanat Kumara y los otros Nobles de la Llama de Venus. Ellos han mantenido la llama ardiendo en beneficio de la humanidad por cientos y miles de años. Ahora ha llegado el momento para todos Uds. de tomar la "Antorcha" de nuevo, de tomar responsabilidad por Uds. mismos y por su planeta, y regresar a la Vida una porción de lo que les ha sido dado una y otra vez por infinidad de años.

El Primer Rayo tiene la posición única en este gran plan evolutivo de Creación, porque este rayo representa el "impulso inicial" por el cual las ideas, nacidas del Corazón y la Mente de Díos, se les da la Vida.

En general, a los humanos en la tercera dimensión, no les gusta el cambio aún cuando es para mejor, porque conlleva disturbios en el status quo, hábitos, patrones y tradiciones. Los miembros del Primer Rayo están modelados en el fuego más puro del propio Corazón de Díos, donde han sido forjados y alimentado por las llamas del Corazón de los grandes Seres que están parados alrededor del Sol mismo. Tendrá que venir el día cuando los niños de la Tierra le den la bienvenida y abracen el plan de Díos para este plano y demuestren reverencia por ello y por toda la vida.

Para poder ser admitidos dentro de la quinta dimensión, es imperativo que expresen nuevamente su obediencia incondicional al gran Amor, Sabiduría y Poder de la Jerarquías Celestiales. En las altas dimensiones, no hay democracia, aquellos que han obtenido el más grande desarrollo espiritual son los que califican para gobernar en un sistema de jerarquías (planetaria, galáctica y universal) todo el camino hasta el Creador Mismo.

Cuando un individuo se dedica a llegar a ser un "candidato para la Ascensión" o un "Maestro de la Ley," y su motivo es regar la luz con pureza de corazón y transparencia, no simplemente para tener un modo de vida, nosotros inmediatamente lo envolvemos, debajo de nuestras Alas de Amor y le ofrecemos protección y guía. Uno debe de aprender llegar a ser discípulo, antes de llegar a ser maestro.

¡Crean en los regalos de su divinidad! ¡Dejen que su Luz brille! Desarrollen su propia luminosidad y dejen que la luz se convierta en el aura de esta Tierra hasta que el Consejo Kármico mismo pueda decir: "Es suficiente." ¡Ya la Tierra brilla! ¡Ya su canción se une a la música de las esferas! ¡Ya su gente ha completado su parte de evolución!

¡Tiempo! Todo el mundo desea tiempo para hacer cosas. ¡AHORA! ¡AHORA! ¡Permítanos hacerlas este instante! La falta de poder interior ha causado el hundimiento de continentes, la destrucción de más Años Dorados y el retraso de más victorias en el eterno mañana. La mayor parte de los humanos no empiezan a establecer su alma en orden hasta que están al borde de la tumba, satisfaciendo los sentidos, posponiendo hasta mañana aquello que puede ser hecho hoy. ¡Escúchenme bien! Si pueden ser-luminosos en cien años, ¡UDS. TAMBIEN PUEDEN SER-LUMINOSOS AHORA!

Yo caminé la vía de la Tierra no hace mucho tiempo. Yo conocí el amor de la belleza y también conocí las de la carne. Porque yo soy llamado el preceptor de la Voluntad de Díos y el disciplinario de las almas, de la cual muchos hombres y mujeres se encogen en el corazón. Hay aquellos en su reino que piensan que yo no aprecio la belleza. Esta forma de pensar de los humanos, con frecuencia es muy extraña para nosotros. ¡Ah, belleza y orden son las primeras leyes del cielo!

En mi hogar en Darjeeling hay y deberá permanecer siempre, ambos belleza y orden. Desorden no es parte de mi naturaleza, ni tampoco de cualquier Hermandad en particular. Desorden en la persona o del ambiente es la muestra externa del desorden humano en la mente, sentimientos, conciencia etérica ó simplemente flojera.

En su propia vida encontrarán que cuando traen orden y belleza dentro del mundo, progresaran más felices, porque orden y belleza traen gracia y la gracia les trae la percepción que nunca se habían dado cuenta que tenían. Aquellas percepciones traídas al exterior son las que hacen una persona de

"Díos en acción" aquí en la Tierra. Ahora despierten y salgan de esa ¡alma durmiente! Permitan que el entusiasmo gire otra vez dentro de todos sus cuerpos; permitan a esos electrones girar otra vez alrededor de los átomos. Les doy la pasión con entusiasmo para que por el Amor de Díos traigan esta Tierra de regreso a casa, con todas sus flores de primavera, con toda la gracia de sus veranos, traigan las pequeñas criaturas de cuatro patas, y todos los que viven, de regreso a casa por el bien de Sant Germain, que esta Tierra pueda llegar a ser la Estrella Sagrada de Libertad.

La relación entre un Maestro y un discípulo es muy cercana. El maestro acepta la conciencia del discípulo dentro de Su propia esfera de influencia para que El pueda estar conciente de las actividades, pensamientos y sentimientos del discípulo. En otras palabras, el discípulo vive "en la Casa de Su Señor," cenando en Su mesa y departiendo de la hospitalidad de Su casa. Esta es una "invitación" amados de mi ¡Corazón!

Yo Soy El Morya, su Amigo de Luz para siempre, y si soy bienvenido, mi presencia los seguirá cada paso hasta la hora de su Victoria final y gloriosa en la Luz, cuando les daremos la bienvenida, una vez más entre los inmortales.

## Oración para la Sanación del Primer Rayo

# *Oración de la Voluntad de Díos*

En el Nombre de Díos "YO SOY," Yo invoco la presencia del Amado Maestro El Morya, Arcángel Miguel y todos los Maestros Ascendidos y ángeles del la Llama Azul del Amor de la Voluntad de Díos, para guiarme y protegerme diariamente y en cada hora.

Arcángel Miguel, ven dentro de mi vida. Ayúdame a superar toda la densidad con tu espada de llama azul. Sácame y libérame de todas las negatividades y errores del pasado.

Yo pido un rayo azul de Amor divino, para ser establecido sobre mí ser, sobre mi hogar, mi familia, mi trabajo y todos mis asuntos. Yo invoco la ayuda que me hace falta ahora para manifestar la Voluntad de Díos en todos los aspectos de mi vida, para realizar mi propósito divino aquí en la Tierra. Yo reclamo para que la Voluntad de Díos se manifieste en todas partes en la Tierra, como es en los Reinos de Luz y Libertad.

## Discurso de Adama con el Maestro El Morya

*Adama nos habla de la Llama Azul de la Voluntad de Díos. El explica los beneficios espirituales de rendirse a la Voluntad Divina y ofrece una meditación fabulosa, la cual nos da un entendimiento más grande de la palabra "rendirse."*

***Aurelia***

Yo siento dentro de mí una gran excitación porque sé que algo grande está pasando en el planeta. También sé, que la energía esta cambiando bien rápidamente ahora y los velos de la separación entre dimensiones están desapareciendo gradualmente. Los maestros ascendidos están más cerca e incrementando el contacto personal con nosotros, mucho más que en el pasado, en miles de años. Si yo comparo cómo las cosas sucedían antes cuando yo era una niña, ó en mis veinte años, a cómo son ahora, hay un revestimiento plateado totalmente formándose en el horizonte. Aunque las nubes oscuras no se han disipado completamente, todo el mundo está empezando a sentir los cambios. Esto es lo que deseaba compartir.

Al permitir nosotros que este despliegue tenga lugar, abrazando todos los pasos, hay mucha magia en ello. Me tomó un tiempo ver y sentirlo, pero ahora realmente lo siento y lo sé. Aquellos de nosotros que estamos trabajando como maestros directamente con seres del otro lado del velo, estamos aquí para mostrar el camino a aquellos que están buscando crear un mundo mejor que al que nosotros nos hemos acostumbrado. Pero, ultimadamente, su vida es su propio viaje y no importa cuánta asistencia se les ofrece, nadie puede asumir su viaje por Uds.

***Los próximos 5 a 6 años, serán los años más importante y cruciales que Uds. hayan vivido en este planeta. Ellos determinarán lo que Uds. llegarán a ser y adónde irán o qué serán en el futuro cósmico.***

El planeta y la humanidad han alcanzado ahora el final de un ciclo cósmico mayor. La tierra, junto con aquellos de la humanidad que escojan, se está moviendo ahora dentro de un nuevo ciclo de iluminación y evolución. Y Uds., como almas evolucionando en Su cuerpo, están ahora enfrentándose con las decisiones más importante que van a tomar. Es ahora cuando tienen que escoger, si desean venir junto con la Tierra dentro de la nueva realidad de amor y luz, o quedarse atrás para otra ronda de encarnaciones en la tercera dimensión. Está en Uds. decidir si desean experimentar el nuevo mundo aquí, o moverse a otro planeta de tercera dimensión en otro universo y continuar experimentando la vida en la forma que es aquí ahora mismo, con todas las limitaciones y retos que la vida en la tercera dimensión les ofrece.

La Tierra realmente merece Su gloriosa Ascensión. Las campanas de su propia graduación a un ciclo cósmico están sonando ahora. Después de todo, ella ha mostrado amor infinito y tolerancia hacia la humanidad, la cual no le ha mostrado de vuelta mucha gratitud. Ella ofreció su cuerpo en forma tan incondicional para permitirnos la oportunidad de experimentar con la voluntad libre. La pregunta que debemos hacernos a nosotros mismos ahora es: ¿Escojo ir al siguiente nivel ó deseo quedarme atrás? ¿Qué es lo que realmente están escogiendo crear y abrazar para Uds. en los pocos años que quedan?

Yo oigo a personas constantemente mencionar que están tan atrapados en sus vidas diarias, que por mucho que desean expresar que desean hacer sus trabajos espirituales y de sanación, para el beneficio de evolución, siempre es puesto a un lado para otro momento. Ellos dicen, "Bueno, lo haré mañana ó el próximo mes, quizás el próximo año cuando las cosas cambien un poco, ó cuando mi vida se calme un poquito, entonces podré tener más tiempo para hacer mi sanación y mi trabajo espiritual."

¿Se dan cuenta que el tiempo no espera a nadie y que estamos ahora en ese umbral importante de cambio? Lo que los maestros Ascendidos Adama, Sananda, Maitreya, Arcángel Miguel, Saint Germain y todos los otros maestros nos están diciendo es que el tiempo es AHORA. No hay nada y quiero enfatizar, nada más importante que su trabajo personal espiritual de sanación. Todo lo demás es una distracción para mantenerlos alejados de la "meta real" de su encarnación aquí.

Los cambios positivos que tanto anhelan, solo vendrán a ser una realidad en su vida personal como resultado de este trabajo. Ultimadamente, no hay vuelta que darle. Nada cambiará en su vida a menos que lo cambien Uds. mismos; ese es su trabajo. Eso es lo que Uds. vinieron a hacer aquí en esta vida y si Uds. no quieren hacerlo nadie más lo va a hacer por Uds.

Si, tenemos que atender las muchas obligaciones de nuestra vida diaria, pero en este momento, lo que realmente cuenta y hace la diferencia para Uds. en los próximos años, no es tanto lo que han hecho, sino lo que ¡han llegado a ser!

Contemplen esto. Lo que hacemos viene y se va en el pasaje del tiempo, pero lo que llegamos a ser, como seres divinos, abrazando nuestra divinidad desde la perspectiva de la experiencia humana, permanece con nosotros eternamente.

Hmmm......Adama está aquí. El está esperando pacientemente para terminar de hablar. Quizás él está pensando, quién ha sido invitado a hablar aquí hoy, él ó yo. *(¡Risas!)*

### *Adama*

Saludos, ¡Mis amados amigos! Yo les estoy hablando a Uds. este día desde mi hogar elegante en Telos, pero también estoy con todos Uds. al mismo tiempo. Tenemos hoy con nosotros a un socio silencioso en la persona de la maravillosa presencia de nuestro querido amigo El Morya. Nosotros queremos transmitir nuestro amor profundo a todos aquellos conectándose con nuestros corazones, a través de este compartir.

Hoy, me gustaría hablar acerca de la Voluntad de Díos, como el camino de "rendirse." Vean Uds., sin la Voluntad de Díos no podrán ir muy lejos en su camino de evolución. Este es el primer paso de iniciación en el primer templo que debe ser alcanzada en la maestría, antes de que puedan progresar dentro de los otros pasos en el camino. Si no están dispuestos a rendirse a la "voluntad más grande" de su ser, la Voluntad de su propia "Fuente Divina," ¿Cómo reconocerán su nuevo hogar? Si no están dispuestos a rendirse a aquello, el cual es lo que están buscando y que los llevará a través de todo el camino al "hogar," el hogar de su perfección divina, alegría, dicha sin límites, su paraíso perdido, entonces ¿cómo esperan llegar ahí?

La Voluntad de Díos, no es Díos fuera de Uds., es simplemente el Díos que Uds. son y que Uds. siempre han sido. Sin embargo, cuando están en una encarnación física tienen la tendencia a olvidarlo temporalmente. Su Presencia divina es totalmente omnisciente, omnipresente y omnipotente y puede realizar todos sus deseos instantáneamente. Se han olvidado temporalmente que no son nada menos que una expresión de este Gran YO SOY, encarnado en una experiencia humana. Vinieron aquí con una agenda para obtener la perfección del alma y expandir su propia divinidad con la plenitud de la Maestría y Sabiduría de su Díos. Están aquí, buscando avanzar en la iluminación y completa libertad espiritual. Están aquí para venir a ser un Díos ilimitado en todos los lugares de existencia.

Esta es una agenda de amor por el Ser, y el Ser no es nadie sino "Uds." Muchos de Uds. están todavía atrapados en sus problemas mundanos, no están buscando obtener las metas por las cuales han encarnado. Para muchos, los problemas del camino de su alma y la evolución de su alma se ha convertido en el último asunto en su agenda.

Bueno, mis queridos amigos, cuando están concientemente poniendo a un lado las metas verdaderas de su encarnación, para seguir ahora, sus búsquedas humanas, su vida termina reflejando algo muy distinto de lo que habían imaginado como su experiencia en la vida, antes de su encarnación aquí. Una vez que regresen al otro lado del velo, cuando repasen la vida que acaban de dejar, siempre habrá lamentaciones. Hay un deseo profundo de recibir otra oportunidad para encarnar, para realizar todos los deseos del alma que se han negado en la vida presente.

Y esto es, como el carrusel de interminables ciclos de encarnaciones para el alma, continúa repitiéndose a sí mismo una y otra vez. Su presencia divina, con gran paciencia y compasión les ha otorgado miles de oportunidades. Muchos de Uds., cada vez que vienen aquí, ignoran la razón por la cual vinieron.

Vida tras vida no cumplieron las metas que se habían propuesto para su encarnación. Esto también pasa porque todavía están enfrentando tantos retos, en lugar de disfrutar la dicha de los reinos de la luz. Uds. van a continuar viniendo hasta que finalmente se rindan al anhelo de su alma. Su Presencia Divina los ha visto sufrir, buscar y trabajar sin fin por muchas vidas. Ha observado su dolor, su desespero, su desolación, sus miedos, sus lágrimas, sus dudas, sus vergüenzas y terrores. Ha sido testigo de la gran sabiduría que fue ganada en cada una de estas encarnaciones, individualmente y por toda la Creación. Y ahora tiene el anhelo de traerlos de vuelta al hogar, a la libertad, al amor, a la maestría, a la unidad, y a todo lo que Uds. son como seres divinos.

Desea traerlos de regreso al hogar, pero no les puede forzar.

Necesita el consentimiento de Uds., su intención y su cooperación. Requiere que Uds. abracen todas las partes de Uds. mismos, que han abandonado y odiado en la vía de sus muchas encarnaciones. Su Ser-Divino los está llamando ahora a que se *"rindan"* al camino que está puesto delante de Uds., día a día, con amor y confianza. Solamente a través de rendición amorosa, paso a paso, les será mostrado el camino de regreso al "sol de su ser," su perfección divina.

***Esta es la razón por la cual rendirse a la Voluntad de su propia Divinidad es una gracia tan divina otorgada sobre Uds.***

Son "Uds." los que serán los grandes beneficiarios de esta gracia. Algún día se preguntarán, por qué esperaron tanto para regresar finalmente al "Hogar." Algún día serán conscientes que realmente nunca tenían que sufrir; fue su decisión. Fue su resistencia al Amor que es su verdadera esencia, la que creó todo el dolor y las lecciones que han experimentado por tanto tiempo. Ha llegado el momento de abrazar una forma de vida que los nutrirá y abrazará a todos, en lugar de ser algo que los disminuya.

Cuando se rinden, es el ego humano, también conocido como el ego alterado, que gradualmente se transforma de nuevo dentro de la conciencia original de su naturaleza divina. Al rendirse al proceso de limpiarse y sanarse con absoluta confianza, sin juicios y sin ningún miedo, pueden pasar por esto rápidamente. El proceso se revela a sí mismo para ser menos doloroso de lo que sería si lo pelean todo el camino. El primer paso es siempre la parte más difícil y la más abrumadora del camino. Confíen que una vez que han dado este paso, el resto es mucho más fácil.

Cuando resisten lo que es mejor para su camino, su alma simplemente permitirá que hagan su voluntad por un tiempo hasta que no lo puede aguantar más. El tiempo no es la esencia para el alma, pero nosotros, los Maestros de la Luz, sabemos que todos Uds. han sufrido en este planeta demasiado tiempo. Los invitamos a que ahora escojan un destino más alegre.

En Telos, observamos con gran interés la reacción de los miles de personas que leen nuestra información en los tres primeros volúmenes de la serie de los libros de Telos. Hemos observado tanto en Uds. la experiencia de una gran apertura del corazón. Sus memorias antiguas han sido despertadas. Hemos observado las lágrimas de esperanza y anhelo que casi todos han experimentado cuando leen el material acerca de nuestras vidas en Telos y Lemuria. Han venido a ser conscientes de que los diferentes tipos de vida, no solamente son posibles en este planeta, sino que también es posible la preparación para aquellos que abrazan la transformación a través del amor al ser y la sabiduría espiritual.

Con nuestra asistencia, esto es lo que nosotros los estamos invitando a hacer hoy. Nosotros ya hemos caminado el camino por nosotros, así, abriendo la vía para que Uds. sigan nuestros pasos; nosotros los sostenemos con nuestras manos, ofreciendo asistirlos hacia adelante. Porque estamos aquí para Uds. ahora el camino será mucho más fácil que como lo fue para nosotros. Para todos aquellos que estén deseando unirse a nosotros y compartir el tipo de vida que disfrutamos, el camino del amor y la rendición es la llave para su regreso a casa.

***Hemos alcanzado el nivel de gracia divina que estamos experimentando hoy en nuestras vidas solamente porque, hace mucho tiempo, nos rendimos a la voluntad divina. Al hacer esto, nuestras vidas, gradualmente se fueron transformando y las de Uds. también lo harán.***

Lo que tuvimos que hacer, lo hicimos bajo circunstancias que fueron mucho más difíciles y dolorosas que las situaciones que están experimentando en el presente. Déjenme decirle algo acerca de nuestro paso a la Luz hace 12,000 años. A Uds. les sorprenderá, saber que después de la destrucción de nuestro continente todos tuvimos que trabajar en nuestros problemas de la misma forma que está siendo exigida de Uds. en este momento.

Consideren, que en una noche perdimos todo lo que teníamos, todo con lo que siempre nos habíamos identificado en Lemuria, y aún más doloroso, fuimos separados bruscamente de casi todos lo que habíamos amado. Toda la belleza de Lemuria, todo nuestro trabajo de tantos años, todos los aspectos de nuestras vidas a diario, de repente desapareció.

***Todo lo que quedó fue "nosotros," el aspecto divino del ser, que teníamos que rendir para poder recibir nuevamente "todo" desde nuestro Creador.***

Telos estaba en ese entonces en un estado primario de desarrollo y ciertamente no era la gloriosa y bella ciudad en que se ha convertido ahora. Fue una cueva grande dentro de la montaña que nosotros nos esforzamos en restaurar como una ciudad, para poder salvar a un pequeño porcentaje de nuestra gente. Después del cataclismo, Telos fue lo único que fue conservado de nuestra cultura. La ciudad de Telos estaba todavía en un estado primitivo comparado con la belleza y comodidad que existía en la superficie y lo que es en el momento presente.

Entiendan que en una noche tuvimos que rendir nuestras vidas a un modelo muy diferente de vivir, el cual fue bien difícil por mucho tiempo teniendo que forjar completamente una nueva vida para nosotros. Con gran coraje y determinación continuamos construyendo nuestra ciudad, no solamente para nosotros, sino también como un punto de contacto para generaciones futuras, las cuales iban a nacer otra vez aquí dentro de la cultura de Lemuria. Habiendo perdido todo, excepto a nosotros mismos, trabajamos muy duro por siglos, sanando heridas de nuestras pérdidas y forjando algo nuevo y más permanente. Serían necesarios varios volúmenes para narrarles todas las dificultades y retos a los que nos tuvimos que enfrentar.

Nuestro regreso a casa, hace mucho tiempo, mis queridos amigos, no fue tan simple como se lo pueden imaginar. Uds. están en una "calle fácil", comparado con los obstáculos que tuvimos que superar. Les pedimos que no se sientan consternados por lo que están pasando en sus vidas; sino que se rindan al proceso. Rendirse con la "aceptación de buena voluntad" a los eventos que pasarán en su planeta. Ellos van a venir con el propósito de liberarlos de las cadenas que han creado. Simplemente abran su corazón al amor y "confíen" que su paso a la Luz, como nos ocurrió a nosotros, no se manifestará sin su esfuerzo consciente y sostenido. Siéntanse seguros que las recompensas serán magníficas para aquellos que aguanten hasta el final.

***La Voluntad de Díos es conocida como una actividad del Primer Rayo y resuena con la vibración azul.***

El Rayo Azul es un bello color que va desde el pavo-real hasta los colores de azul real. Su frecuencia es vibrante, viva y limpiadora. Está conectado con "el Corazón Diamante." Como cualquier diamante, la rendición a esta Voluntad Divina tiene muchas facetas. El Arcángel Miguel es un Ángel del Rayo Azul, y el Maestro El Morya es un maestro del Rayo Azul, el guardián del Corazón de Diamante de la Voluntad de Díos.

El Rayo Azul es el rayo del poder divino y liderazgo, el rayo del poder a través de la palabra hablada y silenciosa, conectado con la chakra de la garganta. Es también el rayo que es más abusado por la humanidad. Cada vez que no están hablando palabras de amor y compasión, están empleando mal las energías del rayo. Cada vez que tratan de controlar ó manipular para poder tener su propia voluntad, están usando mal la energía del Rayo Azul. Sean conscientes, el mal uso de esta energía es con frecuencia hecho en forma muy sutil—tan sutil, es más, que Uds. no son ni siquiera conscientes de ello a menos que empiecen a vigilar desde su corazón todas las palabras, acciones y motivos. Uds. entienden y saben lo que digo, es el rayo que les permitirá alinearlos a la conciencia que necesitan obtener, para que puedan ser traídos a los otros maestros. El Maestro El Morya es conocido como un maestro de la disciplina espiritual y sus discípulos reflejan el gran amor que su alma tiene por todos Uds.

Los rayos son parte del currículum básico que tienen que dominar en esta fase de su evolución. Tienen que dominar los atributos de Díos de todos los siete rayos igualmente y ahora también los otro cinco rayos secretos. No hay ninguno que sea más importante, más grande, o menos que los otros. Ellos necesitan se dominados, balanceados y entendidos al mismo nivel.

En distintas vidas, puede que no siempre estén trabajando en el mismo rayo, están esforzándose por integrar y ganar la sabiduría de todos los rayos. Uds. fueron creados originalmente en uno de los rayos y este rayo continua siendo su rayo permanente. También es llamado el rayo monádico, pero solo porque pueden haber sido creados originalmente como, por ejemplo, un alma del rayo azul o alma amarilla, o verde, y no quiere decir que van a estar trabajando en ese rayo cada vida. En cada vida, usualmente procuran ganar una mayor maestría en dos de los rayos y balancear los otros en unidad. Uds. harán esto hasta que han dominado y balanceado todos los rayos a niveles más y más profundos, hasta que hayan pasado todas las iniciaciones requeridas para la Ascensión.

***La gente viene aquí en el plano de la tierra con el solo propósito de forjar su maestría espiritual.***

A menos que trabajen diligentemente en ello, simplemente no sucede, esta es la razón por la cual tienen que escoger encarnar muchas veces. No pueden esperar ganar su completa maestría de lo divino simplemente con desearlo o por asociación. No trabaja de esta forma. La perfección y el refinamiento del alma se logran a través de una serie de encarnaciones en la tercera dimensión. Para aquellos de Uds. que viven en la ilusión de que los hermanos del espacio van a venir a rescatarlos esperando escapar de tener que hacer su trabajo espiritual, para evolucionar sus conciencias, se están poniendo en una posición para ser desilusionados. Aquellos que piensan que van a ser simplemente tomados sin condiciones dentro de los reinos de la luz, les digo, revisen su pensamiento. A los hermanos del espacio no se les permite venir y rescatarlos. Y no hay necesidad para un rescate, porque Uds. han creado la vida que están viviendo ahora con el propósito explicito del crecimiento del alma.

***En cada vida encarnaron de nuevo en la tierra, porque hicieron una decisión personal. Uds. nunca han sido forzados a regresar aquí.***

En todas y cada una de las vidas escogieron las metas y experiencias de su encarnación, con el propósito de evolucionar su conciencia para ganar mayor maestría. Cuando están en el otro lado entre encarnaciones completamente conscientes de todo lo que han dejado por hacer durante su última encarnación, Uds. realmente quieren regresar, para alinear y cumplir todas las metas que no pudieron cumplir. Uds. piden otra oportunidad una y otra vez, hasta que sienten que han completado esta fase de su evolución.

Cada vez que llegan aquí en el cuerpo físico, el velo del olvido es activado; se sienten atrapados y separados, totalmente inmersos en la ilusión otra vez. La vida en este planeta ha conocido muchos ciclos de penuria para la humanidad, porque la conciencia de la gente viviendo en la superficie cayó a niveles muy bajos de separación de los principios divinos. La separación llegó tan lejos como pudo ir, las lecciones aprendidas, la experiencia recogida y el conocimiento añadido al todo han sido sorprendentes.

Esta situación está cambiando ahora gradualmente, con la asistencia enorme y sin precedentes desde los reinos de la luz, desde los hermanos del espacio y desde las civilizaciones del interior de la Tierra. La separación dentro de la tercera dimensión tomó lugar como un experimento para entender cómo las almas podrían reaccionar, una vez que ellas serían separadas completamente de Díos. Todos Uds. aquí en cuerpos físicos han sido voluntarios para este proyecto cósmico; de otro modo no estarían aquí.

Este gran experimento al que Uds. con mucha excitación se prestaron voluntarios para participar desde los más variados universos, de los cuales todos Uds. vinieron, tenía una duración con un principio y un final, lo cual pasó hace millones de años. Este gran experimento ha ayudado a la gente de la Tierra para llegar a ser almas fuertes y valientes. Y debido a su gran sacrificio, las almas de la Tierra ahora han empezado a levantarse hacia una gloria más grande, forjando para sí mismos un destino muy grande, están destinados a venir a ser la muestra de este universo y los maestros de una nueva civilización que va a nacer.

Al alinearse Uds. a sí mismos con la voluntad de Díos a través de la rendición, están destinados a llegar a ser entre todas las almas las más solicitadas en todas partes, en este y otros universos. El Planeta Tierra, el cual ha experimentado la más grande cantidad de oscuridad y dolor, pronto será levantado a un estado de gran amor y luz, una forma de lluvia para otros aprender de ello. En verdad, no hay realmente ningún otro lugar como la Tierra siéntanse orgullosos y con esperanza de ser ciudadanos de este planeta. Uds. han sufrido mucho tiempo; ha llegado el momento de regresar al hogar, es con una maravillosa expectación que los estamos esperando para darles la bienvenida y sostenerlos en nuestros brazos. Nosotros anhelamos darles la bienvenida de regreso al valle del amor, donde el valle de lágrimas será convertido en el valle de la alegría.

***Al descargar Uds. muchas capas de heridas y traumas del pasado, descubrirán que tienen una falta de confianza en Díos y el Espíritu. Y para Uds., "rendirse" a la voluntad divina es un objetivo que da miedo.***

Uds. sienten que han sido traicionados y abandonados en esta y en otras vidas y entran en un estado de miedo, esta es la causa en parte de la caída original de la conciencia. La separación original de su Fuente Divina creó dolor, el dolor entonces creó el mundo en el que ahora viven. La separación permitió todas las manifestaciones e individualizaciones necesarias para crear las experiencias que han tenido en este planeta. ¿Cómo pueden realmente conocer a Díos y su Ser sin haber experimentado el sentimiento de no conocer a Díos? Lo que primero empezó con un poquito de miedo y duda, eventualmente vino a ser una falta de confianza en Díos y en Uds.

Su prueba es ahora permitirse a sí mismos confiar en lo Divino otra vez, y revertir la conciencia que causó la separación de Díos por tanto tiempo. El universo es un lugar amoroso y benevolente y proveerá todo por Uds. cuando tengan confianza. "La Caída" gradualmente tuvo lugar, cuando unas pocas almas en encarnación empezaron a preguntarse si Díos iba a proveer siempre por ellos, después de varios millones de años, cuando el Creador siempre proveía todo para cada uno, sin falla. Muchas personas permitieron las dudas infiltrarse en su conciencia y empezaron a contemplar, qué pasaría si esto de repente se terminaba. Ellos se permitieron caer dentro de la conciencia de que si Díos llegara a parar de proveer, ellos iban a tener que empezar a proveer por sí mismos. Este concepto distorsionado fue el primero, sostenido por solo unos pocos y eventualmente fue comunicado a las masas.

Los miedos dieron nacimiento a esta falta de confianza, entonces llegaron a ser más y más amplificados, hasta que casi toda la raza humana, completamente rindió su derecho divino de nacimiento. El resto es historia.

Rendirse a la Voluntad de Díos, le presenta al alma las iniciaciones y la oportunidad de restaurar su derecho divino de nacimiento. Esto es lo que Uds. tienen que sanar ahora, esa falta de confianza y hacer esto requiere coraje y compromiso. Tirarse del muelle de lo que es conocido, dentro de las aguas profundas y calmadas de lo desconocido, es el último acto de confianza. Permitan a su corazón escuchar la llamada de su alma, y sabrán la decisión que deben tomar ahora, sabrán su verdadero propósito aquí en la tierra en este momento de aceleración y evolución.

Cuando escogen "no confiar," Díos les permite tener la experiencia y todas las muchas consecuencias que viene con esa decisión, para que Uds. puedan aprender la sabiduría de ello.

El miedo que la gente tiene de confiar en Díos, es el de hacer el compromiso con su Ser Superior que desea regresar al hogar, para hacer su ascensión y ganar su maestría. Esto requiere que aclaren todos sus problemas de su creación humana. En el proceso, su Ser Superior trae dentro de su experiencia todo el material en sombras que han creado a través de los años. Estos problemas deben ser observados para poder darles la oportunidad de hacer nuevas decisiones en amor y confianza, en lugar de miedo.

Todos los problemas que necesitan ser alineados y entendidos, y cualquier residuo de Karma que necesita ser aclarado, son traídos a su experiencia. Al enfrentar todo esto puede ser temporalmente conflictivo, pueden llegar a pensar, "Yo hice el compromiso de empezar a confiar en Díos y mi vida ha venido a ser más conflictiva," y luego escogen otra vez caer de nuevo en el ciclo de no confiar. El camino es permitir cualquier cosa que sea presentado a Uds. y observarlo, aún cuando es difícil por un tiempo, sin importar qué apariencias están en su vida, aún si su vida viene a ser más difícil temporalmente, confíen que están en un nuevo camino y que la energía finalmente cambiará. Comparado con los millones de años de desconfianza que han expresado hacia el Creador, este regreso al hogar, a su verdadero ser, puede manifestarse bastante rápido.

Piensen en Job en sus escrituras, él fue probado severamente, pero continuaba confiando, y cuando fue capaz de probar a Díos que él iba a continuar confiando a pesar de todo lo que había perdido, incluyendo su salud, su esposa y sus hijos, todo le fue restaurado de nuevo y mucho más. Pero primero él tuvo que viajar a través de la noche oscura del alma, y Uds. también.

Permítanse a sí mismos el proceso de ir a través de la noche oscura. Finalmente, enfrenten todo lo que han tenido escondido en las sombras por tanto tiempo. Háganlo sin juicio o apegos porque es en estas sombras que recobrarán sus regalos, recordarán los atributos de su derecho divino de nacimiento y sus energías completas serán restauradas. Una vez más, confiarán en su Creador, al rendirse totalmente, el amor vendrá a ser su rescate y no su desespero.

Toda la humanidad está básicamente teniendo la experiencia del mismo camino de evolución. No hay necesidad de sentir vergüenza ó arrepentimiento porque, en verdad, todos tienen los mismos problemas. Su experiencia presente puede que la vean diferente y es lo mismo para todo el mundo. La falta de confianza y la separación de su Fuente han creado este largo camino de sufrimientos. Ahora resucítense completamente a través del amor y la confianza.

Cuando Uds. puedan finalmente decir, "Yo dejaré ir mis propias ideas erróneas y miedos y confiaré en el proceso, no importa cuán dificultoso pueda llegar a ser," habrán dado el primer paso y el más difícil. Cuando finalmente enfrenten su dolor y su rabia, no será tan doloroso como esperaban. El proceso, cuando es permitido los llevará todo el camino de regreso al "hogar" y finalmente tendrán la experiencia del final de todo el sufrimiento y de toda escasez. Entenderán el universo y su vida con nueva compasión y suavidad; las luchas que ha mandado en sus vidas se irán.

***Una vez que han conquistado ese miedo,<br>todo se abre para Uds., y pueden<br>tener todo sin limitaciones.***

No habrá más carencia para Uds., sabrán con la absoluta certeza, que el universo al que habían temido por tanto tiempo, proveerá todo lo que Uds. siempre han necesitado y todo con lo que siempre habían soñado. Lo que Uds. llaman el pecado original, al cual yo lo llamo el rompimiento original de la confianza con Díos, es básicamente la última cosa que necesitan conquistar.

Esto se correlaciona con la historia de Adán y Eva, lo cual fue una metáfora describiendo la falta de confianza en Díos, que nos lleva a la separación.

Si, Adán y Eva es solo una historia grabada con poco entendimiento. Aún cuando la alegoría en sus escrituras puede contener algunos niveles de verdad, ciertamente no pasó en esa forma. La historia de Adán y Eva y la caída de la gracia por la humanidad son realmente muy complejas. Algún día, toda la verdadera historia estará disponible para la humanidad y finalmente entenderán y aprenderán mucho de ella. La historia es simplemente una pobre representación de lo que pasó y no es exacta.

Lo que es representativo, es que la gente dejó de confiar en su Creador y se fueron al miedo. Aurelia tiene entre sus posesiones un librito llamado *"Los Hijos de Díos,"* por Christine Mercer. Esta es la historia de una mujer que decide confiar en Díos, no importa lo que le pase. Su confianza fue puesta a las pruebas más extremas. Durante las penurias de su prueba, ella hizo una decisión determinada y desde el corazón nunca jamás quejarse absolutamente de nada. Ella continuó confiando, sin importar cuán doloroso era, aún cuando ella hizo este compromiso profundo en "rendirse," fue puesta a prueba severamente. El final feliz de esta verdadera historia es que en muy poco tiempo ella balanceó una cantidad tremenda de karma y milagro tras milagro empezaron a fluir generosamente en su vida. Todo lo que ella había perdido le fue restituido cien veces más.

Durante el período de prueba, ella le dió gracias a Díos por cada dificultad que estaba experimentando, sabiendo que ello la iba a guiar a algo mucho más grande y mucho mejor y ciertamente ¡lo hizo! Christine fue capaz de elevar su cuerpo en una ascensión física dos años después, en un tiempo en el que nadie más en el planeta lo hizo. Ella logró esto cuando las energías en el planeta todavía no estaban apoyando este tipo de actividades como lo es ahora.

Este librito hizo una impresión muy grande en Aurelia, en un momento cuando ella misma estaba pasando por un período difícil. Ella lo leyó hasta bien tarde en la noche, de principio al final, el libro que ella encontró en una librería por $2.00 hace varios años. La reacción de Aurelia fue "Hmmm... Creo que mi situación, la cual es ni siquiera cercana a lo severa que fue la de ella, podría posiblemente mejorar usando el mismo principio que ella usó." Ella reflexionó en su corazón, que su actitud hacia la situación en su vida estaba muy lejos de ser elegante y agradecida como lo fue Christine, y se dio cuenta que estaba acumulando resentimiento.

Ella leyó el libro dos veces y luego decidió aplicar los principios en una "actitud de gratitud" de la mejor forma que podía. La situación de Aurelia mejoró casi inmediatamente y en pocos meses, estaba otra vez mucho más feliz de lo que había estado en mucho tiempo. Su corazón estaba libre y su situación financiera restaurada.

El libro de Christine vale su peso en oro por la forma que describe cómo ella fue más allá de todo sus miedos. La forma en que esta mujer conquistó sus miedos es un gran ejemplo para que todo el mundo lo siga.

***Yo deseo explicar el propósito de ser puesto a prueba.***

Entiendan que Díos no los pone a prueba directamente solo por el hecho de arrojarles una pelota curva, simplemente para ser malicioso. Las pruebas son oportunidades que han invitado Uds. por el hecho de aclarar y balancear negatividad que han creado en el pasado para poder acelerar su crecimiento espiritual, pidieron las pruebas para poder permitir que la sanación tuviera lugar.

***Cuando se ponen dentro del estado de total confianza, el Universo responde y empieza a proveer inmediatamente.***

Díos realmente no desea ponerlos a prueba. Díos es amor y Su amor es incondicional. Cuando se abren a la rendición de la que estamos hablando, el universo proveerá todas las situaciones y oportunidades necesarias para balancear todos sus problemas, y sanarlos para siempre. Con gran asombro, descubrirán pronto cuán rápido el universo responde a lo que piden cuando están alineados a la Voluntad Divina.

Deseo expresar una cosa más antes de la meditación. El minuto en que Uds. hacen un compromiso verdadero y consistente a su Presencia de Díos, de rendirse completamente al proceso de cambio y transformación, su Presencia los guiará en la forma más rápida y suave posible para obtener el objeto de sus deseos, abriendo la "Puerta a Todo."

La Voluntad de Díos es el atributo que los llevará todo el camino al hogar a través de la gracia. Las almas en este planeta tienen que darse cuenta que antes que puedan ser llevados a un maestro específico para las iniciaciones y avance, ellos tienen que primero pasar la prueba de El Morya, las cuales son prueba de rendirse a la Voluntad Divina. Cuando decidan hacer un compromiso real para su ascensión y su viaje espiritual, si no están dispuestos a pasar las pruebas de rendirse, ¿cómo pueden pasar las otras pruebas? Otros maestros no podrán ser capaces de trabajar con Uds. hasta que hayan entendido los varios aspectos del rayo azul. Y entonces, cuando han logrado estar listos para otro maestro, serán escoltados elegantemente a ese maestro con una "recomendación."

Yo estaba deseando darles esta charla acerca de rendirse. Es lo que más se necesita en el momento presente. Ir más allá del miedo es la llave, mientras más y más gente deje ir sus miedos, llegará a ser más fácil para otros hacerlo. Si desean saber cómo pueden ayudar al planeta, la cosa más importante para hacer es dejar ir a sus propios miedos, rendirse con Amor a lo que es y dejar ir todos los juicios. Mientras más practiquen esto con éxito y motivando a otros a hacer lo mismo, más grande será el camino que están creando para Uds. y para la humanidad. La mejor forma que tienen de servir a su planeta, es aclararse Uds. primero.

***Meditación***

## Viaje al Templo de la Voluntad de Díos en Telos

### *Con Adama y el Maestro El Morya*

Tenemos en Telos un templo consagrado a la Voluntad de Díos. Hay también un templo como este en Darjeeling, India cerca del Tibet. El retiro de la Voluntad de Díos está bajo la protección del maestro El Morya, para ambos en Darjeeling y Mount Shasta. Muchos de Uds. van allá en la noche o vienen aquí en Telos para aprender las iniciaciones del Primer Rayo de rendirse a la Voluntad Divina. Los dos existen en la frecuencia de la quinta dimensión y por lo tanto no son visibles a sus ojos externos. Hoy, yo desearía llevarlos en conciencia al Templo de la Voluntad de Díos en Telos.

Conscientemente pídanle a su Presencia Divina o su ser superior que los lleve en el viaje con nosotros a Telos. Vean como van llegando aquí en su merkaba personal acompañados por uno de sus guías. Noten una estructura grande de color azul ópalo, bien alta, en forma de pirámide de seis lados. Al acercarse, todo alrededor de Uds. resuena con la bella energía azul tan refrescante y calmante. Permítanse caminar sobre las escaleras de madreperla hacia la entrada principal del templo. Observen y sientan la niebla azul majestuosa que emana desde varias fuentes altas a todo el alrededor. Muchos tipos de flores azules, creciendo en hermosas macetas azules y doradas, están floreciendo en gran abundancia y variedad alrededor de las fuentes, incluyendo la dulce No-me-olvides. Caminen ahora a través de la entrada, donde tres ángeles de la llama azul están esperando para escoltarlos y darles la bienvenida dentro del templo.

Al entrar en el largo vestíbulo, vean una cámara transparente conteniendo en el centro un inmenso diamante de la llama azul, el más grande diamante que jamás hayan visto, 4 a 5 metros de altura (de unos 15 a 18 pies de altura). Su guía los invita a entrar a esta cámara sagrada. El diamante contiene varias miles de facetas, cada una representando un aspecto diferente del Corazón de Diamante de la Voluntad Divina. Este diamante no es muy diferente del que está viviendo dentro de su corazón, y con el tiempo, todas las maravillosas facetas de su propio corazón de diamante, vendrán a ser completamente activadas y restauradas. Su Corazón de Diamante y su sagrado corazón son uno y el mismo; son componentes de cada uno. Ellos están hechos de un número infinito de cámaras, cada una correspondiendo a una faceta de su propio diamante.

Vengan dentro de la cámara sagrada de la Voluntad Divina para ser recibidos por el Maestro El Morya, un ser alto de ojos marrones que se parece mucho a un maestro Zen. El lleva una túnica azul cubierta parcialmente con una capa blanca luminosa, un turbante blanco azulado y dorado en su cabeza. El los recibe y les da la bienvenida a Su corazón de Diamante y los invita a que se sienten en unos de los cojines llama-azul. El ahora los guía a que se enfoquen en la energía del corazón de diamante y a que respiren las energías para que puedan atraer lo más que puedan esta energía de vuelta con Uds. cuando regresen a su cuerpo físico. Este rayo azul es el que le da el poder al rayo del Amor. Todos los rayos contienen amor más los atributos específicos de cada rayo.

En la presencia de este diamante pueden abrir todas las pequeñas facetas de su propio corazón de diamante que están llenas de miedos y los pueden dejar ir. Pongan la intención en la energías de este inmenso diamante, para magnetizar y absorber sus miedos, mis queridos, y para que ellos sean liberados y sanados. Al liberar estos miedos desde su corazón recibirán una tremenda sanación.

Estén conscientes que puede ser difícil liberar todos sus miedos y cargas en una sola visita. Esta es la razón por la cual, los invitamos a que regresen a este templo en Telos ó en Darjeeling, con la frecuencia que deseen recibir niveles más profundos de sanación. La sanación interna es un continuo proceso hasta que alcancen su realización. Consideren sus esfuerzos como un trabajo en progreso, y estén dispuestos a mantenerse en el proceso hasta que todos los velos sean levantados, entonces sabrán que están completos.

Ahora conéctense con su ser superior que está encima de Uds. Su gran Presencia YO SOY, el ser ilimitado que es realmente quienes son Uds., está esperando para que todos sus miedos sean liberados y sanados. Conéctense con esta Presencia Divina y hagan su compromiso de rendir todos los miedos que los han mantenido en tanto dolor para que así puedan ser restaurados en su integridad.

No importa lo que se puede presentar en su vida mañana, solo es un espejo de un miedo ó un patrón viejo, de una creencia que todavía están aguantando dentro de sí mismos, que necesita ser resuelto y abrazado. Pronto llegarán a saber, al hacer este trabajo, que no hay nada que temer excepto la ilusión del miedo en sí mismo.

Continúen respirando esta llama azul, lo más que puedan, directamente dentro de sus pulmones y dentro de su corazón. Hagan esto conscientemente porque desean traer esta energía de regreso dentro de su cuerpo físico. Sepan también que todos los aspectos multi-dimensionales de Uds. y de todos los seres de los reinos de la luz están apoyando su viaje al hogar, hacia la gracia divina. No están solos en su viaje; tienen tanto amor disponible para Uds. y mucho apoyo. Tengan confianza de que pueden hacerlo si lo desean, sientan la acción tranquilizadora de la Llama Azul, tiene su propia forma de traerles consuelo y disminuir sus penas.

Ahora el Maestro El Morya y yo mismo tenemos un regalo para cada uno de Uds., sentados enfrente del diamante en nuestro templo, vamos a sobreponer un diamante pequeño etérico de perfección total, radiando las cualidades de la esencia-azul dentro de la cámara sagrada de su corazón, justo dentro de las energías de su propio corazón sagrado. Este diamante refleja su perfección divina, con este regalo, la perfección del Corazón de Diamante será reflejado hacia Uds. siempre, y cuando escojan trabajar con el. Los invitamos a que empiecen a respirar sus energías cada día en su meditación, trabajando con esas energías en cualquier forma que parezca apropiado para Uds. En su meditación pídanle a su ser superior que les muestre cuáles facetas del diamante están todavía aguantando dolor o actitudes, y qué está fuera de balance, lo cual necesita ser sanado y alineado. El diamante que acaban de recibir continuará reflejando todo lo que necesitan para la apertura y la sanación de su corazón. Los llevará por el camino de la rendición con alegría y gracia, está vivo y vibrante, su color refleja el azul luminoso del pavo real.

Continúen respirando sus energías con una actitud de permitir y de rendirse a lo que es. Tomen la determinación de caminar este camino y siéntanse libres de comunicarse con su guía. Quédense con esta energía por un tiempo y den gracias por la gracia que acaban de recibir. *(Pausa)*

Cuando se sientan completos, regresen a su cuerpo, tomando

este tesoro con Uds. Mientras más permanecen conscientes y trabajando con este corazón de diamante, más sus energías se amplificarán y bendecirán sus vidas. Esto es un regalo o herramienta que les estamos dando, pero no los ayudará a menos que lo usen. Este corazón de diamante también tiene una vibración de auto-confianza, usen esta energía de auto-confianza para ayudarlos a soltar sus miedos para que su rendición pueda ser realizada con gracia.

Los maestros del rayo azul están disponibles para Uds. en este momento ofreciendo su asistencia. Cuando se sientan listos, abran sus ojos, los invitamos a que regresen a este lugar de sanación con frecuencia para meditar con nosotros en la Voluntad de Díos, y para continuar realizando pasos gigantescos hacia su libertad espiritual. Y que así sea, Amado Yo Soy.

*Lord Lanto*

# Capítulo Dos

## El Segundo Rayo:

## La Llama de Iluminación y Sabiduría

**Las Cualidades Principales de Díos y las acciones del Segundo Rayo:** Iluminación, sabiduría, omnisciente, entendimiento a través del amor, percepción, comprensión, precipitación, discriminación y activación de la Mente de Díos.

El Chakra correspondiente: Corona
Color: Amarillo
Piedras Correspondientes: Ojo de Tigre, Topacio Dorado

**Chohan del Segundo Rayo:**
Lord Lanto, Maestro de la Sabiduría Antigua
Su Retiro: La Gran Sala de Iluminación,
Cordillera del Gran Tetón, Wyoming, USA.
Otros Maestros sirviendo en el Segundo Rayo: Gautama Buda, Lord Maitreya, Sananda-Jesús, Maestro Kuthumi, Confucio.

**Arcángeles del Segundo Rayo con su Complemento Divino:**
Jofiel y Cristina
Sus Retiros: Al Sur de la Gran Muralla China
y el Templo de Iluminación; Díos/Diosa Meru:
Isla del Sol, Lago Titicaca, Bolivia

**Elohim del Segundo Rayo con su Complemento Divino:**
Apolo y Lúmina
Su Retiro: Saxony, Alemania

## Acerca de Lord Lanto, maestro de la Sabiduría Antigua

Lord Lanto, la luz grande de la China antigua ahora sirve como el Chohan del Segundo Rayo, en el Retiro de Royal Tetón en la Cordillera del Gran Tetón en Wyoming, USA. Su devoción a la Llama de la Sabiduría y la Llama del Conocimiento lo ha calificado realmente para asistir directamente en la evolución de la Tierra a través del Segundo Rayo de Iluminación.

Lord Lanto escogió usar el Segundo Rayo para abrazar los corazones de la humanidad. El está dedicado a asistir la evolución de este planeta a través del Cristo Cósmico de la Iluminación. La Llama Dorada que late en su corazón está cargada con el momento de la Victoria de Díos. Lord Lanto fue voluntario, junto con Sanat Kumara, para venir a la Tierra hace mucho tiempo para el rescate del planeta y su evolución cuando la oscuridad total llenaba la tierra. El fue un Sacerdote de alta categoría en el Templo de la Madre Divina en el continente de Lemuria.

En los últimos días de Lemuria, aquellos que atendían las Llamas en los altares de los Templos fueron avisados del cataclismo que se avecinaba. Aquellos responsables de las Llamas las removieron y las llevaron a otro lugares más seguros, depositándolas en otros retiros físicos, o transfiriéndolas a la octava etérica. Lord Lanto fue el que llevó la Llama de la Precipitación y la depositó en el área de la cordillera del Gran Tetón en América del Norte. La Llama de la Precipitación tiene un tono verde brillante con el amarillo del Segundo Rayo. Esta llama está todavía encendida hoy en el Retiro Royal Tetón. Precipitación es la Llama de la Abundancia y Riqueza, así como también Felicidad, Alegría y la conciencia Universal de Cristo.

## Encarnaciones de Lord Lanto

- Lord Lanto encarnó en la China antigua como el Duque de Chou, también conocido como el Emperador Amarillo, (Siglo 12° AC). El Duque de Chou es visto como un estadista en la historia de China y está considerado el arquitecto de la Dinastía Chou y el verdadero fundador de la tradición Confucio.

- Lord Lanto estuvo luego encarnado como un gobernante de China en el tiempo de Confucio y sostuvo la Llama Dorada de Iluminación para beneficio de la gente China por muchos siglos. Lord Lanto adoraba tanto la Trinidad dentro de su más íntimo ser, que el brillo intenso de la chispa divina podía realmente ser vista a través de su carne humana, emanando como un brillo suave en su pecho. El mantuvo esto en honor de Sanat Kumara hasta su Ascensión alrededor del año 500 AC.

- El ganó su maestría mientras estudiaba bajo la tutela de Lord Himalaya, Manu de la Raza de la Cuarta Raíz, cuyo Retiro del Lotus Azul está escondido en las montañas que llevan su nombre. Seguidamente de su Ascensión, Lord Lanto aceptó el cargo presidiendo como Maestro del Concejo del Tetón Royal y del retiro mismo para poder traer al mundo Occidental la Llama de la ciencia y tecnología, la cultura de la Madre, y la reverencia por la Vida que él y Confucio han patrocinado en el Medio Oriente.

## Retiro del Royal Tetón

Este magnífico retiro, está situado en el Parque Nacional del Gran Tetón en Wyoming, USA. La gloriosa Catedral natural, la cual hace espirales encima de los planos y los árboles verde esmeralda, atrae la admiración de todos lo que vienen a esta área. El Retiro del Tetón es el más antiguo enfoque de los

Maestros Ascendidos en el planeta Tierra. Es también el enfoque de precipitación y expansión de Luz a través del Rayo de iluminación y manifestación en el mundo de formas. Su actividad comanda el poder de la precipitación consciente.

Por muchas edades, dentro del corazón del gran Tetón, una orden de la Gran Hermandad Blanca, bajo la dirección de Lord Lanto, ha dedicado su fuerza, conciencia y presencia para desarrollar formas y medios de ayudar a la evolución de la humanidad—para una mayor perfección de la mente, mayor paz del alma, mayor salud del cuerpo y para mayor desarrollo del Espíritu del Díos durmiente dentro del corazón de la humanidad.

Lord Lanto conduce clases de noche en el Retiro del Royal Tetón, ayudando a aquellos interesados en desarrollar sus talentos naturales, regalos, poderes y la razón de ser. Un maestro de sabios y filósofos, Lord Lanto nos enseña el camino de realización a través de iluminación, sabiduría y dominio del chakra de la corona en la cabeza. El Segundo Rayo es también el de la iluminación, percepción, comprensión y educación. Es el rayo de dirigir inteligencia, discriminación, discreción y la dirección en la vida de uno. Aquellos que están o que han sido los grandes maestros de la humanidad son frecuentemente iniciados del Segundo Rayo.

Muchos de los grandes patriotas, educadores, artistas, arquitectos, científicos, inventores o grandes maestros religiosos, recibieron la inspiración de estos Consejeros y han regresado a su cuerpo físico llenos de inspiración y pasión entretejiendo sus experiencias en una bendición para la humanidad.

A través del siglo 19° y 20°, Lord Lanto se mantuvo fielmente detrás de los esfuerzos del Maestro St. Germán de liberar a la humanidad a través de sus enseñanzas de Maestro Ascendido sobre la Presencia del YO SOY y la Llama Violeta.

## Transmisión desde el Corazón del Amado Lord Lanto

Desde el gran Salón de Iluminación del Retiro Royal Tetón en la Cordillera de las Montañas Rocosas en Wyoming, yo los saludo con el Amor de mi corazón y la Llama de la Sabiduría que YO SOY. A través de las edades, ciertamente he servido al maravilloso Rayo Dorado por tanto tiempo que lo he personificado completamente y me he convertido en ello.

Cuando piensen en las Llamas Sagradas, amados míos, perciban sus maravillas con un sentido de igualdad. No hay ninguna que sea mejor o menos que las otras; aún cuando cada una mantiene un atributo distinto de las cualidades de Díos, ellas son todas igualmente maravillosas y efectivas. Algunas de sus cualidades coinciden creando un campo de energía de Unidad. Las siete llamas son también parte del currículum de la Tierra acerca del cual necesitan ganar maestría y balance para poder calificar para su Ascensión. Todo el mundo que ha ascendido ha requerido la maestría de los atributos de las siete llamas.

En nuestra enseñanza a la humanidad hacemos énfasis sobre las siete llamas, pero en realidad, hay muchas otras más. Cuando Uds. hayan completado su Ascensión las doce Llamas Sagradas y sus chakras correspondiente serán completamente reintegradas dentro de Uds. y podrán ser capaces de usarlas en forma constructiva con todos sus numerosos regalos en formas maravillosas.

En el estado de ascendido, al Uds. continuar evolucionando su conciencia en los distintos niveles de la quinta dimensión y más tarde, en la conciencia de aún más altas dimensiones, descubrirán muchas más llamas y muchos más chakras, que serán agregadas a su corriente de vida. Es más, nunca van a terminar; la evolución continua por siempre en la eternidad. ¿Cuántos chakras Uds. piensan que su Creador ó Lord Melchizedeck tienen?

Un poco antes de la destrucción de los dos continentes mayores, Lemuria y Atlantis, la mayoría de las Llamas Sagradas fueron removidas de la superficie del planeta y llevadas dentro del planeta o a los Templos etéricos de Luz. Con el traslado de las llamas, también vino la desactivación de parte de su ADN, la disminución de las Tres Llamas de Vida en la cámara sagrada de su corazón y el apagón temporal de los cinco Rayos Secretos con sus chakras correspondientes.

Dado el desuso severo de estos rayos y sus chakras en los dos continentes mencionados arriba, fue decidido por los Consejos de Luz Universal y Galáctica que estas restricciones se tenían que imponer en la humanidad. Desde ese momento en adelante, solamente siete chakras con su correspondiente llama fueron dejadas activadas para la continuación de la evolución del género humano.

Muchos de Uds. han oído de los cinco Rayos Secretos y se preguntan qué son. No mucho ha sido mencionado acerca de estos rayos por nosotros porque, aún cuando son importantes y su energía está siendo gradualmente restituida en el planeta, la maestría de los atributos de Díos que ellas representan no son completamente requeridas hasta que lleguen muy cerca al día de su Ascensión. No queremos confundirlos con muchas llamas porque la maestría de las primeras siete llamas representan un esfuerzo muy grande. Una vez que hayan adquirido la maestría de las primeras siete llamas, resulta mucho más fácil alcanzar la maestría de las otra cinco. Aún cuando ellas son únicas en su propio color, vibración y atributos, ellas son derivativas de las primeras siete.

Las estipulaciones fueron que hasta que la humanidad se despierte otra vez para abrazar su potencial divino y los principios de Cristialidad, y cuando el nivel de conciencia haya alcanzado la suficiente madurez espiritual para que se pueda confiar una vez más en el género humano, con esta energía sagrada y con el conocimiento para el uso correcto de estas llamas, será reintroducido en la Tierra otra vez con la Ascensión de su Madre Tierra. Aquellos que han alcanzado el nivel de madurez espiritual para llegar a ser candidatos para la Ascensión, se beneficiarán en su momento, del regreso de estos regalos.

Esa es la maestría que Uds. necesitarán alcanzar al caminar a través de las iniciaciones de los siete templos internos *(vean el capítulo 4—Págs. 103-107)*. Una vez que ganen su momento de Amor, Sabiduría y Poder en todas las llamas y hayan cumplido todos los otros requerimientos, serán invitados a ocupar su lugar entre los inmortales con toda la gloria y atributos de un Maestro Ascendido completamente.

Ese día, amados míos, será el más maravilloso de su total existencia. Durante miles de años Uds. han encarnado aquí enfrentándose a muchos retos en la mayoría de sus encarnaciones, siempre manteniendo el sueño y la meta de llegar algún día a la puerta de la Ascensión. Ahora esta oportunidad está siendo ofrecida a cada uno de Uds. en ¡esta encarnación! La mayoría de Uds. nunca van a tener que morir otra vez, a menos que lo escojan. El momento que han estado esperando se les presenta ¡ahora! Esta es una invitación de su Creador. ¡Nosotros los amamos tanto!

Sepan amados míos, que si lo escogen ahora completamente con el corazón y mantienen este compromiso hacia Uds. y a su Presencia Yo Soy, pueden terminar en pocos años su ciclo largo de encarnaciones para unirse a nosotros como un inmortal. Una vez ascendidos estarán trabajando con nosotros cara a cara, aprendiendo todo lo que nosotros hemos aprendido desde nuestra Ascensión. Contemplen esto por un momento, lo que nos llevó mucho tiempo en el pasado para realizar, Uds.

pueden alcanzar lo mismo en menos de la mitad del tiempo que nos tomó a nosotros.

Ahora los invito a que miren mi foto y contemplen la llama brillante de Amor que está radiando desde mi corazón. Yo fui capaz de manifestar esto en mi última re-encarnación como un mortal, como Uds. son ahora en su estado presente. Si Yo pude hacerlo entonces Uds. seguramente podrán hacerlo en este momento de la Ascensión de la Tierra.

Desde la Llama del Amor en su corazón y el poder de su amor pueden aprender a expandir su amor hasta el punto de crear un logro similar. Y si Uds. trabajan en ello, yo estaré a su lado asistiéndolos abogando por su ¡Victoria!

Yo Soy Lord Lanto, su maestro de Sabiduría alumbrando su camino de vuelta al hogar con las maravillas de la Llama de la Iluminación.

## Mensaje del Maestro Kuthumi

### *Maestro Mundial, Maestro del Segundo Rayo*

Bendiciones, ¡Niños de mi Corazón! La bella sabiduría de la Creación ha designado ciertos enfoques para lograr resultados específicos. Por ejemplo, la naturaleza crea belleza para inspirar al género humano a regresar a la grandeza de su propia divinidad. Su cuerpo tiene ojos para ver, oídos para oír y pies para caminar. Así, los cuerpos diferentes del género humano fueron creados, cada uno con un propósito específico. El cuerpo mental está diseñado para crear el molde de la perfección. El cuerpo emocional tiene la intención de llenar su forma con vida. Su cuerpo físico, con todas sus facultades, existe con la intención de exteriorizar la perfección de la conciencia en el mundo de la forma.

## Oración para Sanación del Segundo Rayo

# Oración para Iluminación y Paz

Amado Presencia YO SOY, resplandece ahora desde el corazón de los amados Alfa y Omega, desde el corazón de los amados Helios y Vesta, dentro de nuestros corazones y mentes individuales, oleadas gloriosas de la Llama dorada de Iluminación y Paz. Inúndanos con los aceites preciosos del conocimiento y Sabiduría universal.

Ven ahora y dirige Tú Luz preciosa de Iluminación Divina y Paz dentro de cada aspecto de nuestras vidas. Inunda la Tierra y la humanidad con la Llama dorada de la Iluminación de Cristo y el Entendimiento y Paz desde el Corazón de Díos en el Gran Sol Central.

Divina Llama de Iluminación,
Bendice mi mundo hoy.
Olas Doradas de Paz,
Bendice mi mundo en la perfecta forma de Díos.
Llama de luz tan maravillosa, para contemplarlo
YO SOY tú Sabiduría en todo lo que YO SOY:
Fuente Dorada de Iluminación,
Infunde cada parte de mi ser con tu Aceite Dorado.
YO SOY, YO SOY, YO SOY Iluminación, resplandeciendo
¡A través de mi corazón, mente y alma!

*(Repetir la invocación completa 3 ó 6 veces)*

## Discurso de Adama con Lord Lanto

Saludos, mis amados, soy Adama. Yo estoy aquí en su presencia hoy con varios seres que la mayoría de Uds. ya conocen, o por lo menos han oído de ellos. Entre aquellos presentes está nuestro hermano Ahnahmar y el maestro guardián del Segundo Rayo, Lord Lanto.

*Aurelia - Hola, Adama, nos gustaría discutir contigo los atributos y usos del Rayo de Iluminación para recibir un mayor entendimiento. Debe ser que ya leíste nuestras mentes porque trajiste a Lord Lanto contigo. Les damos la bienvenida a todos Uds. en nuestras mentes y en nuestros corazones; nos sentimos honrados de que estén aquí con nosotros.*

*Adama* - Muchas gracias mis amigos, es un placer y un honor para nosotros estar de nuevo compartiendo nuestro amor y sabiduría con todos Uds. y poder llegar a un mayor número de personas a través de la publicación de nuestros libros. En este momento crucial de la transición de la Tierra, en una conciencia y dimensión más alta, es más importante que nunca que cada alma encarnada aquí entienda lo que está pasando energéticamente y físicamente en su planeta de evolución.

Verdaderamente, más que nunca, están todos en la necesidad de más iluminación para poder entender completamente y recordar su esencia divina, para saber lo que están haciendo aquí en este planeta y para descubrir los propósitos y metas que se han trazado para su experiencia aquí, Ahora es el momento para todos Uds. de tomar ventaja de la ventana más maravillosa de oportunidad para la liberación espiritual a través de la Ascensión que está siendo ofrecida a Uds. en este momento. Gracias al amor profundo que su Creador tiene por cada uno de Uds. y a través de la más maravillosa gracia divina que es ofrecida a Uds. desde Su Corazón, ahora pueden ser liberados de la decisión de separación de Díos que escogieron hace mucho tiempo.

Uds. han estado evolucionando aquí, por un largo período, en una conciencia espiritual dormida lo cual ha creado mucho malestar, infelicidad, dolor y limitación. A través de la ignorancia y separación que se han impuesto a sí mismos y que han escogido experimentar se han olvidado cómo manifestar sus vidas como Seres Divinos. Muchos de Uds. han tenido suficiente de esta forma de ser que no es natural y han hecho un llamado de intervención a su Creador. Vidas tras vidas, sus almas han sido imprimidas con patrones erróneos acerca de Díos y Uds. y han seguido las enseñanzas limitadas de religiones, cuyos líderes han tenido en su agenda mantenerlos en la ignorancia espiritual, el control y la sumisión. Para la mayoría de Uds., las religiones y dogmas a los cuales se han aferrado, los han mantenido en una caja dentro de una corriente sinfín de conceptos erróneos, lo cual les ha impedido en sus muchas encarnaciones experimentar por Uds. mismos a través de los ojos de su divinidad.

Deseamos hablarles a un nivel de pura esencia espiritual. Con frecuencia se ha dicho que la verdadera espiritualidad es un concepto simple que podría ser resumido en un pequeño folleto, es tan simple como eso y la gente se ha olvidado completamente cómo "ser" espiritual y cómo personificarlo. Uds. siempre buscan los conceptos más complicados que pueden encontrar. A través de los años, millones de libros que contienen ideologías elaboradas y confusas acerca de Díos han sido escritos sobre espiritualidad. Es más, muy pocos, reconocen la verdad simple de lo que la espiritualidad pura ofrece. Un gran número de sus libros espirituales han sido escritos por aquellos a los cuales nosotros consideramos ciegos espirituales, deseando guiar a otros seres humanos que son también ciegos espiritualmente. La verdadera espiritualidad es un estado de ser, un estado puro de conciencia que los trae de vuelta a la conciencia de Amor, Luz, verdadera Vida y Divinidad.

En general, la espiritualidad no puede ser ganada por las muchas cosas que hacen ó no hacen, ni tampoco por las muchas reglas impuestas a Uds. por su sociedad, sus organizaciones religiosas y sus gobiernos a los cuales Uds. están ansiosos de aceptar. Simplemente "ES." Esta es la razón por la cual todos los rituales, prácticas y conceptos de hacer y no hacer que Uds. aceptan ó rechazan, fueron hechos con la mejor intención de servir solo como una guía básica por gente bien intencionada. Estas guías hubieran podido asistirlos, si las hubieran usado dentro de la perspectiva correcta, pero ellas nunca podrían inyectar la verdadera espiritualidad dentro de su alma. Solo Uds. pueden hacer esto en comunión con su Esencia Divina.

El propósito de nuestros discursos y escritos, es traerles una enseñanza simple para que la gente la pueda seguir una enseñanza que los asistirá en regresarlos de nuevo a la conciencia de "Díos dentro de ustedes", como el gran arquitecto de su corriente de vida. Deseamos que puedan redescubrir como lo hemos hecho nosotros y con la alegría y la dicha de vivir sus vidas otra vez, de acuerdo a su propio camino único totalmente conectado con la esencia divina que late en su corazón. Les deseamos que recuerden en todo momento que esta esencia divina que está libre y activa dentro de cada uno de Uds. es la única verdad, "La Fuente" de todo lo que Uds. pueden ser, todo lo que pueden saber y necesitan para manifestar sus vidas diarias como seres divinos.

El río de vida, de amor, de abundancia ilimitada y de cada regalo bueno y perfecto que desean disfrutar y anhelan obtener está dentro de Uds., esperando su reconocimiento y su dedicación en llamar por ello. Tras esta introducción ahora voy a hablar de Iluminación, uno de los atributos de la Llama de Díos que puede asistirlos grandemente en su nuevo despertar.

*Adama* - El Rayo de Iluminación representa la sabiduría de Díos, verdadero conocimiento e iluminación en todas sus variadas facetas. Representa la iluminación de la conciencia del Cristo, el entendimiento, percepción y paz desde el corazón de Díos omnipotente, es literalmente una extensión ilimitada de la Mente de Díos. Muchas almas encarnadas en el Rayo de la Iluminación, divinamente elegidas llegan a ser maestros de la humanidad. Uds. están familiarizados con un gran número de Maestros de Sabiduría, los cuales han encarnados en el pasado como grandes maestros para la humanidad, son seres cuyo camino principal de su alma es el Rayo de Iluminación. Para nombrar unos pocos tienen al maestro Jesús/Sananda hace 2000 años, Lord Maitreya, Lord Buda, Lord Confucius, Djwal Khul, Lord Lanto, el Maestro Kuthumi, y muchos otros.

Los Maestros de todos los Rayos también han encarnado de tiempo en tiempo, para venir a ser maestros de la humanidad, porque la humanidad debe aprender a entender y dominar la iniciación de todos los rayos en perfecto balance para poder calificar para la Ascensión. Todo el mundo ha sido creado en uno de estos doce rayos y millones de seres existen en cada uno de ellos. Entiendan que no hay un rayo mejor que otro, como algunos de Uds. les gustaría creer. Todos los rayos deben ser personificados, entendidos e integrados en igual proporción.

El Rayo de Iluminación está conectado con la chakra de la corona, conocida como la llama de los mil pétalos de Loto. Al invocar Uds. el Rayo de Iluminación en su corona, los miles de pétalos de su chakra de la corona comienzan el proceso de ser iluminados otra vez, expandiendo más su potencial de reconectarse con la verdadera Mente de Díos, la cual ha permanecido en estado durmiente dentro de Uds. por miles de años. Sin embargo, nunca los dejó y esto es lo que Uds. desean despertar ahora. Todos los bolsillos de oscuridad que se han incrustado ahí por ignorancia son básicamente bolsillos de la conciencia dormida que les ha impedido tener la experiencia de la "Mente de Díos" en su forma más pura.

Cuando Uds. invocan el Rayo de iluminación en su chakra de la corona y en la totalidad de su conciencia, y ponen su intención de despertar todos los atributos de su divinidad, su Ser Superior usará las energías que están invocando para aligerar gradualmente y activar los bolsillos oscuros que han estado durmiendo ahí por mucho tiempo.

*Aurelia* - *¿El Rayo de la Iluminación tiene un color ó esencia?*

*Adama* - El Rayo de Iluminación es amarillo dorado como el sol y bien brillante. El "Templo de la Iluminación" situado en el Lago Titicaca en Sur América es el enfoque principal en este planeta para este Rayo. Los guardianes de este Rayo son el Díos y la Diosa Meru, los cuales han estado sosteniendo las energías de la Iluminación por miles de años en ese más maravillo templo etérico. En Telos también creamos una versión más pequeña de este majestuoso Templo del Segundo Rayo, así como lo hemos hecho con los templos de varios Rayos.

En el tiempo de Lemuria, teníamos miles de templos en nuestro continente representando cientos de atributos del Creador y teníamos templos para cada aspecto de nuestra evolución. Teníamos más de cien templos dedicados solamente a los diversos rayos. Mis amados, entiendan que hay muchos rayos de los cuales Uds. no son todavía conscientes. Uds. saben de siete y de los cinco rayos secretos; y hay muchos más. No es necesario que Uds. estén conscientes de todos los rayos en este momento, pero es de suma importancia para aquellos que aspiran hacer su Ascensión en esta encarnación ganar la maestría de los primeros sietes rayos y más tarde, de los cinco rayos secretos.

*Aurelia* - *¿Por que iniciación uno debe de pasar mientras está trabajando con el Rayo de Iluminación?*

*Adama* - Serian las iniciaciones de llegar a ser consciente de todas las creencias erróneas acerca de Uds. mismos que los han entretenido, que han ocupado su conciencia y los ha mantenido en mucho dolor y limitaciones. Es salir de la ignorancia y unirse con la Mente de Díos. Al Uds. integrar y fundirse con el Rayo de Iluminación podrán invocar la Mente de Díos para hacer su trabajo perfecto en su propia mente, transformarse y evolucionar.

Está el cerebro humano y hay la Mente de Díos, los cuales no son exactamente lo mismo. La Mente de Díos representa la conciencia universal que conoce todo y que no tiene limitaciones. El cerebro humano es gobernado por el ego humano y es impreso con miedos, limitaciones y creencias erróneas acerca del ser y ha sido alterado por el ego humano con sus miedos y la conciencia de separación. Sin embargo, ha sido una herramienta para su evolución y los has servido muy bien. Su mente humana, al ir evolucionando, está destinada al fin de unirse con la Mente de Díos. No planeen liberarse de ella, como a algunos de Uds. les gustaría hacer, es de Uds. y deben tomar posesión de ella como un aspecto integral de ser, su ser.

Lo que necesitan hacer es transformarla con el conocimiento correcto y verdadera sabiduría, rindiendo todas las creencias viejas que no les sirven más y los mantiene en limitación e ignorancia. Si hacen este trabajo interno para crear su transformación, su ego también evolucionará para unirse y fusionarse con la Mente de Díos, a través de la acción de infusión de Iluminación. En el proceso de la Ascensión todos los aspectos de Uds., incluyendo su mente ego y humana, serán unidos completamente con la Mente de Díos y todos los atributos de su divinidad. Considérenlo como un proceso continuo por toda la eternidad, ya que siempre habrá otro nivel, y otro para abrirse y para aprender de ello. El proceso que Uds. necesitan para rendirse para poder abrir sus mentes, su corazón y todos los aspectos suyos hacia su divinidad, no puede ocurrir de la noche a la mañana. Este es un viaje que han creado y planeado Uds. mismos antes de su encarnación para poder obtener las metas que se han establecido para su camino de evolución.

Gradualmente integrarán el conocimiento, el entendimiento y la sabiduría que su conciencia necesita. Al Uds. hacer esto, en un momento dado los velos se levantarán y unirán su mente con la abundancia de la Mente de Díos. Si no desean hacer su tarea y escogen quedarse en su estado presente, manteniendo sus conceptos erróneos y su sistema de creencias, es su voluntad; nadie los está forzando en ello. Sin embargo, estén también conscientes que van a tener que vivir con las consecuencias de quedarse atrás en su evolución, mientras los otros que conocen y aman serán elevados hacia el siguiente nivel.

Su propia evolución es la meta principal para su encarnación lo cual requiere su consentimiento y sus esfuerzos, así como también ocuparse de ello completamente, simplemente no sucede automáticamente Es realmente el deseo del alma y tiene que convertirse en el deseo más profundo y en el enfoque de su encarnación. Esto no quiere decir que no pueden disfrutar de su vida en la tercera dimensión; es más, es un requisito que Uds. amen y disfruten sus vidas en su totalidad; todo necesita ser integrado como uno. Su transformación ahora en este momento de la transición de la Tierra requiere su compromiso total y su participación.

*Grupo - ¿Cómo podemos conscientemente evolucionar nuestra mente y unirnos con la Mente Divina?*

*Adama* - Cada día invoquen las energías de Iluminación para que se unan con su cerebro humano, esfuércense por expandir su conciencia en cualquier forma que puedan; como leer libros que los inspire, meditando, comulgando con la naturaleza, etc. Uds. no quieren solamente llenar de información la mente, sino que también desean nutrir su corazón y alma con todo los que es noble, bello e iluminado. Vayan dentro de sus corazones y empiecen a unir sus energías con lo Divino dentro de Uds.

En el proceso de Ascensión su mente transformada se unirá con el Sagrado Corazón, pero el corazón ascenderá primero y tendrán la experiencia de la unión divina. Todas sus chakras llegarán a unificarse y no se sentirán más separados del resto de "Uds." y del universo, ellos permanecerán como partes distintas, pero todas unidas al mismo tiempo, también muchos más chakras les serán añadidas. ¿Se dan cuenta lo poderoso que es esto? Es por eso que un maestro ascendido es un ser iluminado. Uds. no tienen que esperar el permiso de alguien ó un pequeño empujón para empezar el proceso, empiecen ahora si quieren que esta Iluminación tome lugar dentro de Uds.

*Grupo* - *¿Si yo llamo al Rayo de Iluminación cuando duermo, qué iniciaciones y procesos voy a experimentar? ¿Dónde seré llevado?*

*Adama* - Les sugerimos que llamen al Rayo de Iluminación durante el tiempo que estén despiertos. Cuando duermen, saben todo esto, es en la conciencia en el momento que están despiertos que necesitan integrar la sabiduría que aprenden durante el tiempo que están durmiendo. Quienes son en el otro lado del velo como el ser consciente está muy bien informado y no tiene problemas.

*Aurelia* - *Cuando yo voy a lugares mientras duermo, sé que no es necesario recordar dónde he estado y qué he aprendido. Siento que es más importante que el conocimiento que gané durante la noche sea integrado en mi vida diaria.*

*Adama* - Exactamente. Uds. no están preparados todavía para recordar sus aventuras durante la noche, porque ellas son tan maravillosas que si Uds. las recordaran no tendrían interés de completar su experiencia en la tercera dimensión y los retrocedería. Una vez que han establecido su intención con sus guías y maestros de hacer y aprender ciertas cosas mientras están durmiendo, ellos los llevarán a toda clase de lugares maravillosos que los ayudará a completar sus metas, pero no van a recordarlo. Por ejemplo, si Uds. desean ir al Templo de Iluminación ellos lo llevarán allí. Hay más de uno en el planeta y pueden visitarlos todos si lo desean. Es más, Uds. ya han hecho eso más de una vez.

También tenemos un Templo de Iluminación en nuestra ciudad, hemos creado un puente de luz entre el templo en Telos y el que está en Sur América, y con el Retiro del Royal Tetón el cual es el enfoque principal de Lord Lanto. En nuestro reino, ellos no están separados energéticamente; todos nosotros trabajamos como uno.

*Grupo* - *¿Venimos a trabajar solo con un Rayo durante una vida?*

*Adama* - No realmente... En una encarnación la mayoría de Uds. trabaja por lo menos en dos rayos, un rayo primario y un rayo secundario en el cual desean ganar más iluminación. En una vida podrían estar trabajando en el Segundo ó Tercer Rayo, pero Uds. han tenido encarnaciones trabajando en todos los otros rayos también. El rayo en el que están trabajando en esta vida no es necesariamente indicativo de su Rayo Monádico original. Cuando Uds. ascienden, normalmente regresan en servicio a su Rayo Monádico original.

Aurelia - *¿Cómo el Rayo de Iluminación balancea nuestros cuerpos mentales, emocionales, físicos y alma?*

Adama - El rayo de Iluminación solo, no balancea todos sus cuerpos. Su propósito principal es asistirlos en el alcance de su verdadera sabiduría, conocimiento, iluminación y la integración de la Mente Divina. Cada Rayo tiene una acción diferente y todos ellos se complementan con cada uno en forma igual. Su mundo en este momento está inundado con información errónea, esta es la razón por la cual la información correcta se necesita tanto y el discernimiento es tan importante de desarrollar, el cual es un atributo del Segundo Rayo.

Grupo - *Adama, Gandhi, Martin Luther King y John F. Kennedy serían considerados seres del Segundo Rayo?*

Adama - John F. Kennedy fue un ser del Primer Rayo, el Rayo de Líderes y de la Voluntad de Díos. Gandhi fue un ser del Tercer Rayo de Amor y la Compasión. Martin Luther King fue también un ser del Primer Rayo. Ser líder es primariamente una actividad del Primer Rayo, pero no exclusivamente. No solamente seres en el Primer Rayo tienen el papel de líderes en su mundo, seres de todos los rayos también traen sus regalos en el papel de ser líderes de tiempo en tiempo para poder demostrar los otros rayos.

Grupo - *¿Puede explicar el mal uso del Segundo Rayo?*

Adama - Algunos de los mal usos del Segundo Rayo pueden ser el uso del conocimiento en la forma incorrecta, o entretener ignorancia, tales como no querer ver las cosas como son, entreteniendo la ilusión acerca de la vida y del ser es también un mal uso del Segundo Rayo.

Voy a hablar por un momento acerca del corazón. La mente humana y el cerebro son herramientas que Uds. tienen en la tercera dimensión que han sido designadas originalmente para que siempre estén al servicio del corazón. Su corazón está conectado con la Mente Divina de Díos, y hasta que Uds. alcancen el estado de unión con el Ser, su mente ó la mente ego necesita estar siempre conscientemente al servicio del corazón. Con el tiempo, se convertirá en un estado natural de ser.

Cuando están constantemente trabajando o actuando a través de su mente humana en lugar de su corazón, y no se están conectando con el propósito más alto de la Vida, ese estado de conciencia crea un mal uso del Segundo Rayo a través de la ignorancia espiritual, control y manipulación de la mente Ego. Algunas personas tienen una gran inteligencia humana, pero no tienen sabiduría espiritual y con frecuencia usan esa gran inteligencia al servicio del ego en lugar de buscar su Unidad con Todo Lo que Es. ¿Entienden?

Solo pueden cambiar su propia perspectiva de las cosas y abrazar las energías del amor, paz, y armonía para Uds. mismos primero, y luego podrán irradiarlo a otros alrededor suyo, simplemente siendo quienes son. Cuando todo el mundo en la población empiece a usar la Mente de Díos a través del Corazón, sus gobiernos también empezarán a cambiar y reflejar la nueva conciencia del colectivo.

Al cambiar Uds., cuando el colectivo evoluciona, su conciencia y también sus gobiernos cambiarán, de esta forma empezarán a ver que nunca fue acerca de ellos, sino acerca de todos Uds. juntos. Sus gobiernos siempre reflejarán la conciencia de las personas que gobiernan. Al Uds. evolucionar, tendrán la sabiduría de elegir seres más iluminados como sus líderes, ellos serán sus reflejos.

*Aurelia* - *¿Cuáles son los efectos alrededor del mal uso del chakra de la corona y cómo se reflejaría en el cuerpo físico?*

*Adama* - Saben, el chakra de la corona es el instrumento y el asiento de la Mente de Díos en el cuerpo físico, diseñado para reflejar conocimiento, sabiduría e iluminación. Aquellos que están conscientemente engañando a la gente, controlando y manipulando, usando su conocimiento humano para su propio beneficio, en su momento se enfrentarán con lo que han recogido y han creado como karma. Algunas de las formas que pueden regresar serian como enfermedad mental, tales como Alzheimer, Parkinson, pérdida de la memoria ó enfermedad mental o enfermedades. Al Uds. envejecer, están supuestos a ser más sabios y abrazar más y más de la Mente de Díos. Aunque en vuestra sociedad sucede lo opuesto cuando la gente se envejece. Muchas personas en los hogares de ancianos o instituciones mentales han alcanzado un estado de deterioro mental hasta el punto de no ser capaces de relacionar su propio nombre, o reconocer a sus amados.

Vamos a hacer una meditación y vamos a ir al Templo de Iluminación en el plano etérico.

***Meditación***

## Viaje al Templo de Iluminación

### *Con Adama y Lord Lanto*

*Adama* - Tenemos un Templo de Iluminación en Telos que es una réplica más pequeña del Templo de Iluminación principal para el planeta, en el Lago Titicaca en Sur América. Este majestuoso Templo en Sur América es mantenido bajo el mando del Díos y la Diosa Meru, seres de alta evolución custodios de las energías del Rayo para este planeta. En este momento los estamos llevando al que tenemos en Telos, el cual sostiene la misma frecuencia de energía.

Les pido que se enfoquen en su corazón y pongan su intención para venir con nosotros en un viaje al Templo de Iluminación en nuestra ciudad debajo de la Tierra. Pídanle a sus guías y su Ser Superior que los guíe en conciencia para venir con nosotros. Tenemos una merkaba inmensa que los acomodará a todos Uds. muy confortablemente y los invitamos a que se suban para el paseo.

Véanse a sí mismos llegando a Telos a la puerta de este Templo. Desde lejos ven una estructura de ocho lados, dorada amarilla, radiando como un sol. Emana sus rayos de la energía de Iluminación a varios cientos de millas dentro de la atmósfera de la superficie del planeta, también conectándose a la red cristalina la cual distribuye esta energía a cualquier parte del globo casi instantáneamente.

Véanse a Uds. subiendo los 24 escalones a esta puerta de Luz. Al poner sus pies en el último escalón algunos de nuestra gente de Telos, que son los guardianes de la puerta, les dan la bienvenida. Los invitan a que se queden en una área específica de la sala de entrada para ser envueltos de una ducha de Rayos de Luz Dorada que aclarará y preparará sus campos de energía para ser recibidos en el Templo.

En este momento, a cada uno de Uds. les es asignado un guía Lemuriano que será su escolta y tutor en su experiencia más allá de la puerta, es entonces cuando son bienvenidos en el otro lado por el más esplendoroso equipo de maestros del Segundo Rayo; Lord Maitreya, Lord Buda, Lord Sananda, Lord Lanto, Confucius, Djwal Khul y Kuthumi, extendiéndoles todo el amor de sus corazones.

Ellos les dan su más calurosa bienvenida en una hermosa entrada, como un portal inmenso, donde todo lo que ven brilla como el sol. No hay palabras en su vocabulario para describir lo que ven y experimentan, usen su imaginación para crear su experiencia de la forma más clara. La Imaginación es una facultad de la Mente Divina, donde todas las experiencias del pasado y presente guardan sus impresiones para que luego puedan recobrarlas en su estado consciente. Permitan al corazón y la conciencia bañarlos y ser impresos con todo lo que ven y perciben con los ojos del alma. Vean como todo aquí refleja el sol dorado del amor del Creador por este Rayo.

Dense cuenta y respiren las energías de las numerosas fuentes de luz líquida dorada que brotan desde el centro y a lo largo de las paredes de la gran "Sala de la Iluminación." Vean las flores de todos los colores reluciendo con tonos de una neblina dorada, untando su aroma en cualquier parte que Uds. miran.

Imaginen también, una amplia variedad de flores doradas amarillas de diferentes tonos y tamaños, creciendo juntas en el decorado más imponente, armonioso y espectacular, creando una sinfonía de amor, iluminación y sabiduría allí donde miran. Pongan atención a los detalles del suelo, paredes, techos y la belleza que los rodea.

Al caminar Uds. llegan a una inmensa sala del templo, un vaso largo es erigido donde la Llama Sin Combustible de Iluminación está ardiendo brillantemente. También fíjense en los Maestros de Sabiduría que están de pié alrededor de la Llama de Iluminación, vean cómo por medio de la efusión constante de amor y nutrición crean y nutren una expansión constante en espiral de esa Llama sin combustible de Luz. Sin la nutrición de las Llamas de Díos por aquellos dedicados a ese servicio, esta variedad de Llamas se extinguirían. La única fuente de combustible para estas Llamas viene de los fuegos de amor y dedicación surgiendo de los corazones de aquellos que las tienden. Desde su amor y dedicación, ellos mantienen estas Llamas vivas y brillantes para el beneficio de la humanidad y del planeta.

Continúen respirando profundamente, amados míos, esto es un regalo único ofrecido a Uds. en este momento, las puertas de este templo no siempre están abiertas para aquellos que no son seres ascendidos. Uds. están aquí hoy gracias a una dispensación especial, yo los aliento a que le ofrezcan su más profunda gratitud a Lord Maitreya y los otros maestros mencionados anteriormente, los cuales han sido voluntarios para sostener las energías para Uds. aquí para que así puedan tener permiso de entrar. Para aquellos que están leyendo este material y deseen tener la misma experiencia, si sus deseos son puros y sinceros pueden recibir la misma dispensación.

Continúen poniendo atención a los guías que les han sido asignados, mucha sabiduría y entendimiento puede ser compartido a través de esta interacción. Ahora yo los invito a que se sienten en una silla dorada de cristal enfrente de la Llama Dorada maestra, sientan la energía de la Llama brillante penetrando cada célula y partícula de su cuerpo etérico. Continúen respirando esta energía lo más que puedan, al enfocarse en esta Llama brillante y maravillosa de Iluminación, tiene aproximadamente 60 pies de alto (18 metros de altura) nutrida las 24 horas por el amor de nuestra gente, el amor de los maestros ascendidos y los seres angelicales.

Pongan su enfoque en la Llama a través de la respiración y conéctense en su corazón con la Mente de Díos y los maestros de Sabiduría que nutren la Llama. Conecten su corazón con el de sus corazones y pídanle a ellos que los impriman con su amor y dedicación dentro de su ADN y dentro de todas sus chakras.

Traigan a su ego aquí, ya que también es divino y una parte integral de Uds., no es una parte de la que puedan desprenderse, pero es una parte de Uds. que necesita ser transformada de nuevo a su propósito original. El ego está destinado a transformarse uniéndose con lo divino en el proceso de la Ascensión. Esta parte también necesita ser entendida y nutrida por su propio amor hacia sí mismo, tomen este aspecto separado de Uds., su mente humana, su ego y simplemente empapen estos aspectos con la Llama de iluminación.

Hablen con estas partes con gran amor y compasión como le hablarían a un niño. Díganle al ego humano que es divino y amado y pídanle que se rinda a la gran sabiduría de la Llama de Iluminación para recibir su amor. Hagan esto para infundir su vida con una integración más grande de sabiduría y conocimiento interno.

Cuando experimenten retos en tomar decisiones difíciles en su vida diaria, siempre traigan enfrente de su tercer ojo esta bella Llama dorada de iluminación y Sabiduría. Pídanle ser infundidos con la más grande idea de cualquier cosa que necesiten saber en este momento, o por las decisiones que tienen que tomar. Así es como Uds. van a salir del desconocimiento y de su espiritualidad durmiente, y es también cómo van a aprender a discernir.

Así es como sus pensamientos se convertirán en uno con los pensamientos de Díos y los asistirá a salir fuera de las limitaciones. Todas las Llamas pueden asistirlos en su propia forma para restaurar su espíritu de limitaciones para que puedan, una vez más, caminar en la Tierra como maestros sabios.

Pidan también para que esta energía y este conocimiento sean integrados en su mente consciente. Puede que no recuerden todos los detalles, pero el conocimiento será impreso en su alma; eso es lo más importante. Todos Uds. tienen demasiados sistemas de creencias erróneas impresos en su alma que los mantiene en dolor y limitación, pidan que ellas sean presentadas a la vanguardia de su conocimiento, que sean entendidas, limpiadas y sanadas por la Llama de la Iluminación, es un proceso gradual que requiere su intención y su participación total.

Continúen uniéndose más profundamente con la Mente de Díos, la cual representa la inteligencia del corazón. Cuando se sientan completos párense y caminen alrededor con su guía y hagan preguntas por las cuales están buscando respuestas. Este templo es vasto, con muchas facetas, secciones y cámaras. Vayan adelante, coloquen su alma y su corazón en esa energía hermosa, la cual también representa el Sol de su Divinidad. Es a través de la Mente de Díos, a través de la Llama de Iluminación, que todo el conocimiento será accesible y llevado a su mente consciente cuando se alinean completamente con ella. *(Pausa)*

Ahora regresen a su conciencia y dentro de su cuerpo físico, pongan la intención de traer de regreso con Uds. lo más que puedan de su viaje dentro del Templo de la Iluminación. Ahora tienen permiso de regresar en cualquier momento que deseen, siempre y cuando permanezcan en alineamiento con la energía del amor y del Segundo Rayo.

Hay una gran cantidad de maestros de Sabiduría en el estado ascendente sirviendo en los diversos Templos de la Iluminación. Muchas almas vienen en la noche a clases y para tener un tutor privado con los maestros en una de las muchas áreas de estos templos. No se cobra nada por las clases, excepto su disposición al amor y a evolucionar su conciencia.

Cuando estén listos, abran sus ojos, sean felices, agradecidos y armoniosos con Uds. mismos y con otros. Les doy las gracias, mis amigos, por venir con nosotros hoy. Les enviamos nuestro amor, nuestra sabiduría, nuestro apoyo y nuestro discernimiento. Sepan que pueden hacer la conexión dentro de la Mente de Díos en cualquier momento que deseen. Mientras más hacen esto conscientemente a través de su corazón, más grandes y más sabios seres serán y más pronto se reunirán cara a cara con todos nosotros. Y así será.

*Aurelia* - *Gracias Adama, tú eres ¡muy apreciado! Y también gracias en beneficio del grupo que está aquí.*

*Adama* - Yo Soy su espejo, mis queridos, todos Uds. son muy apreciados también.

*Maha Chohan, Pablo Veneciano*

# Capítulo Tres

## El Tercer Rayo:

## La Llama del Amor Cósmico

**Cualidades principales de Díos y acciones del Tercer Rayo:**
Amor incondicional, omnipresencia, compasión, verdadera hermandad, caridad, Amor en acción, el amor del Espíritu Santo, también iniciaciones de la Chakra del Corazón.

Chakra Correspondiente: Corazón
Color: Rosado
Piedra Correspondiente: Cuarzo Rosado, Rubí

**Chohan del Tercer Rayo:**
Pablo Veneciano, este Maestro también mantiene el cargo del Maha Chohan el cual representa a la Oficina del "Espíritu Santo" para este planeta.
Sus retiros: "Chateau de Liberté" situado en el Sur de Francia, cerca de Marsella y el Templo del Sol, en la Ciudad de Nueva York, USA. Como el Maha Chohan del planeta, también tiene un retiro en Ceylon, llamado el Templo del Confort.

**Arcángeles del Tercer Rayo con su Complemento Divino:**
Chamuel y Caridad
Su Retiro: St. Louis, Missouri, USA

**Elohim del Tercer Rayo con su Complemento Divino:**
Heros y Amora
Su Retiro: El Templo del Amor, Lago Winnipeg, Canadá

## Acerca de Pablo Veneciano, Chohan del Rayo del Amor

El Maestro Pablo Veneciano, Chohan del Tercer Rayo, también mantiene el cargo del Maha Chohan, quiere decir, la "Oficina del Espíritu Santo" para este Planeta. El está dedicado al Rayo del Amor y la Sabiduría del Corazón, el cual envuelve los Principios de Sabiduría del Budismo y los Principios del Amor de Cristo. Su devoción es hacia la belleza, la perfección del alma a través de la compasión, paciencia, entendimiento, auto-disciplina y el desarrollo de las facultades intuitivas y creativas del corazón, a través de la alquimia del auto-sacrificio, generosidad y rendimiento.

El trabaja junto al Arcángel Chamuel, usando el Rayo rosado del Amor para abrir nuestros corazones a través del arte, música y color. Con la asistencia del Maestro Hilarión, ellos se aseguran que la nueva tecnología y ciencia tenga información creativa y artística. El también trabaja con la sanación a través del sonido para ayudar a restaurar la armonía y transmitirnos las frecuencias del Arco Iris de Luz. El patrocina a todos aquellos que traen las enseñanzas y la cultura de los Maestros Ascendidos y de la Gran Hermandad Blanca a la humanidad.

El, junto con Lord Maitreya, es el iniciador del Chakra del Corazón. Llamen al Amado Pablo Veneciano que los ayude a crear todo lo que su corazón desea.

## Encarnaciones de Pablo Veneciano

- En Atlantis, Pablo sirvió en el gobierno como cabeza de los asuntos culturales. Antes de que el continente se hundiera, él fue a Perú para establecer el enfoque de la Llama de la Libertad, la cual luego permitió a los Incas producir una civilización que prosperó.

- Más tarde, encarnó en Egipto como un maestro de arquitectura esotérica y trabajó con el Maestro El Morya, el cual era el maestro albañil en la construcción de las pirámides.

- En su encarnación final como Paolo Veronese (1528–1588), el gran pintor del Renacimiento Italiano, él se convirtió en uno de los grandes artistas de la escuela de Venecia. Nacido el año 1528, recibe solo un poco de entrenamiento formal en arte antes de comenzar su carrera prolífica. Sus talentos excepcionales se originaron desde los Fuegos del Amor ardiendo dentro de su Sagrado Corazón.

- Pablo Veneciano fue la influencia e inspiración en la construcción de la Estatua de la Libertad en Francia. La estatua, entre otras cosas, representa la Llama de la Libertad, la misma llama que Pablo Veneciano les regaló a los Incas hace mucho tiempo. El ascendió al final de su última encarnación en 1588 en el "Chateau de Liberte" en el Sur de Francia.

## El Chateau de Libertad, Retiro de Pablo Veneciano

En el sur de Francia, en las orillas del Río Rhone que fluye a través de verdes colinas y valles, en la riqueza del campo, se encuentra el "Chateau de Liberté," el cual es hogar y retiro del Maestro Pablo Veneciano, Chohan del Tercer Rayo.

La belleza natural del campo refuerza la belleza de los edificios, en el marco del más encantador escenario de la naturaleza. Exquisitas columnas de mármol, adornadas con rosas floreciendo, rodean los jardines del templo. Entrando en el vestíbulo elegante y espacioso, verán bellas pinturas representando la Sagrada Trinidad, remarcando el Tercer Rayo sobre el cual el amado pablo Veneciano sirve en el presente. El Edificio en sí consta de tres pisos, detrás del Chateau hay jardines magníficos ornamentados en tres hileras.

*El Servicio del amado Pablo y la Hermandad del "Chateau de Liberté" son también triples.*

- Primero, el desarrollo dentro de los corazones de las almas evolucionando, amor verdadero por Díos, amor por el Ser y amor por la vida.

- Segundo, el movimiento dentro de los corazones de la humanidad, el amor por la cooperación con los Seres Cósmicos, Maestros Ascendidos, Huestes Angélicas y aquellos que son mensajeros de Díos.

- Tercero, con un amor sincero y práctico, la activación del potencial de regalos escondidos dentro de los corazones del género humano en todas partes. Este amor, impersonalmente, pero definitivamente dirigido, atrae desde los rincones más escondidos del alma los talentos, regalos, poderes, ilimitación y atributos de la "Presencia del Yo Soy."

En la nueva Edad Dorada, en la cual estamos por entrar, cada nación proveerá su aliento, aportación y desarrollo de esta característica en su gente, modelada desde "Chateau de Liberte." Entonces, las muchas almas que vienen a la Tierra con grandes regalos y talentos, no encontrarán un mundo frío e indiferente, el cual roba las energías preciosas de la vida y del potencial de tales genios, teniendo que "ganarse la vida" en el mundo de afuera.

## Transmisión de Pablo Veneciano

Amados hermanos y hermanas, les doy la bienvenida en el nombre del Amor. Que las bendiciones de la Gracia del Espíritu Santo siempre me encuentren dándome la bienvenida dentro de su corazón, dentro de sus sentimientos y dentro de su propio Ser.

Les pido que hagan todo el esfuerzo posible para realmente entender el verdadero significado de Amor. En profunda gratitud, yo ahora me inclino delante del Trío de la Llama Inmortal de la Vida en la cuna dentro de la santidad de sus corazones. La presencia de esa llama dentro de sus corazones, significa para toda la vida en todas partes, que Uds. son seres divinos, que Díos y la "Presencia del Yo Soy" están investidos en Uds., y que tienen alguna actividad que hacer a través de Uds. para la expansión de la perfección desde el Corazón del Creador, como un regalo y resplandor para bendecir a sus semejantes. A través del amor, el cual yo dirijo dentro de su propia llama del corazón, espero que los aliente en creer que el plan divino vendrá y se manifestará en su vida personal y en este planeta, al esforzarse Uds. a convertirse en "Amor encarnado."

El amor no debe ser calificado como sentimental, los cual es errático e inestable. El amor divino y puro, nunca cambia y es constante. Es la única virtud Universal de la Presencia del Yo Soy, dentro de la cual todas las otras virtudes se mezclan. El amor es la más grande expresión de la naturaleza de Díos, y a través del tiempo, será la más grande expresión del hombre. El amor Divino, a diferencia del amor humano, no es codicioso sino que es dado. La sustancia del amor divino es el poder detrás de la creación, así como el sustento de esa creación.

El amor Divino es la actividad natural de la expansión de Díos. Al nosotros ir subiendo la escalera de la evolución espiritual, hay una expansión constante de luz, virtudes y regalos de Díos, a través de cada Ser Divino que ha sido creado. Se ha dicho con frecuencia: "Todo el mundo ama a un amante," pero "el amor humano" es apenas una sombra del amor divino, el cual es una expresión del Tercer Rayo.

El Amor Cósmico Divino no conoce barreras y envía su esencia rosada a todas partes para envolver a todo el planeta. Cuando

Uds. permitan que su conciencia del amor divino mande en sus vidas, se convertirán en un imán para el amor y más importante, irradiarán este amor a toda la vida alrededor de Uds.

Una forma de expandir la conciencia del amor dentro de Uds. es a través de la aplicación de la actitud de gratitud. Cuando Uds. expresan gratitud hacia Díos, a su "Presencia del Yo Soy" y su Cuerpo Mental Superior *(también llamado el Ser del Sagrado Cristo),* a todos los aspectos de los distintos sistemas de cuerpos, a cualquier parte de vida, Uds. incrementan y extienden sus bendiciones. La ley de la creación, manifestación y multiplicación es alimentada y activada por el sentimiento y expresión de gratitud.

Tan pronto como permitan a su mundo mental y de sentimientos que se salgan fuera de la presencia de su propia llama de amor y divinidad, están inclinados a sentir el impacto de otros que sin sabiduría hacen lo mismo. Pero si Uds. viven dentro de la Llama del amor, no tendrán la experiencia de aquello que los lanza fuera del balance.

Amados, nunca subestimen el poder de la llama de su corazón. Cuando le permiten que se prenda con el fuego de su Amor, llega a ser el poder que mueve el cuerpo, así como montañas. Viene a ser las bendiciones que se derraman de su corazón a través de la gloriosa voz de su Presencia. Es la luz que brilla tan brillantemente, que muestra el camino para que otros encuentren amor. Viene a ser la energía que alimenta los centros de su poder para crear "milagros" de sanación, precipitación, tele-transportación, rejuvenecimiento y cada regalo bueno y perfecto que disfrutamos nosotros en los Reinos de Luz.

Estos regalos son suyos para que les pertenezcan al usar la aplicación correcta de las Leyes de Amor y Armonía. La diferencia entre su conciencia y la conciencia donde nosotros residimos, es el grado de maestría en la "aplicación" de las Leyes de Amor y todos los atributos de Díos a través del poder de las Llamas Sagradas.

Nosotros aprendimos la maestría de esas leyes, a través de la aplicación diligente sobre un período de muchas vidas. En su caso, con todas las herramientas y asistencia que están recibiendo en este momento de la Ascensión de la Tierra, pueden realizar en pocos años lo que nos tomó a nosotros muchas vidas obtener. Para que puedan tener un éxito completo, deben convertirse en apasionados acerca de su deseo de venir a ser amor encarnado, a través del incremento del fuego dentro de su sagrado corazón. Este Amor tiene que venir a ser su prioridad, su motivación constante y la razón principal de ser.

Nosotros les podemos enseñar el camino, podemos repetir nuestras advertencias una y otra vez, para darles un empujón y alentarlos, pero simplemente no podemos hacerlo por Uds. Yo les puedo hacer sugerencias y ofrecerles instrucciones para ayudarlos y que tomen conciencia, pero está en sus manos crear su maestría.

Si me dan la bienvenida en sus corazones y me piden, yo dirigiré diariamente dentro de su conciencia las ideas, las bellas formas del pensamiento de la mente y el corazón del Creador que nunca antes ha sido exteriorizado y el cual los asistirá en abrazar y llegar a ser la conciencia del Amor Divino.

Uds. leyeron arriba que yo traje la Llama de la Libertad a los Incas justo antes de el hundimiento de Atlantis. Yo fui también el instrumento en traer la Llama de la Libertad de Francia durante mi vida como Paolo Veronese. Alrededor del año 1880, desde mi retiro en el Chateau de Libertad en el Sur de Francia, yo trabajé diligentemente con algunos de mis discípulos en Francia para construir la bella Estatua de la Libertad que fue dada a América por la gente de Francia. Así, la Llama de la Libertad has estado ardiendo brillantemente en el suelo Americano desde entonces.

Es desafortunado que pocos americanos hoy reconozcan el significado completo detrás de esta maravillosa Estatua, sin apreciar y guardar su libertad de la forma que deberían. Están muy confiados en la ilusión del "Sueño Americano" y permiten a sus líderes que les roben la libertad que sus bravos antepasados pelearon tan diligentemente para salvaguardarla.

*Libertad no es simplemente el nombre de una estatua grandiosa en la costa de la Ciudad de Nueva York en los Estados Unidos.*

La Diosa de la Libertad, el ser que lleva el alma de la Llama de la Libertad por el planeta, es también el guardián de esa llama. Ella se ha ganado el estatus de "Madre Cósmica" de un alto nivel. Nosotros, los Chohans de los Siete Rayos y todos aquellos dedicados a la Libertad trabajamos bajo su patrocinio.

Libertad es un "ser real" que nosotros honramos profundamente. Ella es también uno de los miembros del Consejo Kármico Planetario. Yo le he dado el nombre de Libertad a mi retiro en Francia en honor de esa Madre Cósmica. Les sugiero que se conecten con Su corazón.

## Consejos para Recuperar Su Belleza Natural, Juventud e Inmortalidad

**Piensen antes de hablar, actuar y sentir:** Si se toman el tiempo para pensar antes de hablar, actuar y sentir, le permitirá a los elemento de sus cuerpos regresar a su belleza original, armonía y paz. Tan pronto como la presión de la discordia es conscientemente controlada, el plan divino de perfección empieza a re-establecerse a sí mismo, cuando su Cuerpo Mental

Superior (ó Su Ser Sagrado de Cristo) regresa los electrones a su órbita natural de frecuencias. Aquellos que llegan a un estado de maestría y paz, obtienen una gran belleza.

**La Vejez y Desintegración:** La apariencia de su cuerpo físico es determinada por la cantidad de Luz usada dentro de los cuatro vehículos bajos—los cuerpos mental, emocional, etérico y físico. La emanación natural de Luz a través de esos cuerpos forma la pared protectora de su campo áurico, conocido como el Tubo de Luz. Cuando los electrones se mueven más despacio en sus órganos y células particulares, ellos traen menos luz desde el Cuerpo Mental Superior y la resistencia natural del individuo se debilita, esto inicia lo que Uds. llaman "envejecer."

Cuando Uds., como individuo, y el resto de la raza humana aprendan a permanecer armoniosamente todo el tiempo, y las energías soltadas a través de los varios cuerpos sea siempre armoniosa y alegre, no habrá vejez ó enfermedades. Así es, como en un futuro muy cercano, comenzarán a crear su inmortalidad, poco a poco.

**Creciendo Más Bellos Crecen Más Viejos:** Cuando aprendan a elevar su vibración a un nivel alto de amor y armonía, y sean capaces de mantener esta frecuencia como una forma de vida, un estado de gran belleza y armonía será expresado dentro de su corriente de vida. Los cuerpos de los maestros ascendidos, huestes angélicas y otros seres cósmicos siempre están creciendo más finos y más bellos, cuando la energía se derrama a través de electrones está siempre cargándose con más luz, amor y balance.

**Cómo Atraer Luz en su Cuerpo:** Uds. han recibido enseñanza sobre la importancia de atraer de su Presencia la Luz que es el alimento de los cuerpos internos, y la única forma mediante la cual su acción vibratoria puede ser acelerada. Esto se obtiene, amados míos, a través de la ley magnética de atracción. Su atención en el objeto de su deseo viene a ser el embudo para dirigirlo. Tan pronto como pongan toda su atención en algo y su amor dentro de ello, inmediatamente empiezan a crear y traer dentro del mundo la sustancia sobre la cual están dirigiendo su atención.

Para poder intensificar ó incrementar la acción vibratoria de su sistema de cuerpos, tienen que poner su atención en cualquier Maestro ó su propia Presencia del Yo Soy. Mientras estén ahí, Uds. naturalmente cargarán esta sustancia con Luz tan mecánicamente como la batería de su carro es recargada. Simplemente acostándose en su cama y visualizando esa Luz derramándose a través de todos sus sistemas del cuerpo por cinco minutos tres veces al día acelerarán la acción vibratoria de todos su vehículos. Yo Soy Pablo Veneciano, su tutor de Amor y el ¡Amor de su alma!

## Oración del Tercer Rayo

# Yo Abro Mi Corazón Ti

Mi Amada victoriosa Presencia del Yo Soy, ¡Luz de mi alma!
Mi Amado Ser Sagrado de Cristo, ¡Sabiduría de mi alma!
Amado Padre/Madre Díos desde el Gran Sol Central,
Amados Maestros de la Gran Hermandad Blanca,
Siete Maravillosos Arcángeles y Siete Elohim de Díos,
Amada Virgo, nuestra querida Madre Tierra.

YO ESTOY tan deseoso de ser llenado con el Amor de Díos
Yo abro mi corazón a Ti.
YO ESTOY con tanto anhelo por la Gracia
desde el Corazón de Díos,
Yo abro mi corazón a Ti.
YO ESTOY con tanta esperanza de venir a ser Amor Divino,
Yo abro mi corazón a Ti.
Yo ahora derramo mi Amor y Devoción a Ti,
Pidiendo ser restaurado a mi eterna Libertad Cósmica.
Al YO SER renovado en su Abrazo
Yo siento la Paz de su ¡eterna Llama de Amor!

*(Repetir 3, 6, ó 9 veces)*

## Discurso de Adama con el Maha Chohan Planetario, Pablo Veneciano

*Adama* - Saludos, Aurelia, este es Adama. Tengo entendido que tú y tus amigos desearían conocer la Llama de Amor que todo lo envuelve.

*Aurelia* - *Si, Adama, es mi deseo así como también de aquellos que están conmigo. Hay ya muchas cosas que se han dicho y escrito acerca del amor, sin embargo, no está completamente entendido, aún por los iniciados. Nosotros, como humanos en la superficie, no importa cuánto nos esforzamos a aplicar la conciencia de amor, todavía con frecuencia caemos dentro de la dualidad y juicio. Por favor háblanos acerca del Amor una vez más para que nuestros corazones puedan ser llenados con el néctar delicioso de esa vibración.*

*Adama* - Mis amadas hermanas y familia, yo los amo tanto. Todos nosotros en Telos nos sentimos muy agradecidos por aquellos que desean entender los misterios del Amor a un nivel mucho más profundo. No se sientan desanimados, su entendimiento completo está evolucionando, y al Uds. continuar esforzándose para personificar esta maravillosa energía, continuará amplificándose dentro de Uds. Un día, no muy lejos en el futuro, será nuestro gran placer finalmente invitarlos de regreso entre nosotros, en la Tierra de Amor y Luz. Muchas gracias por darme esta oportunidad de hablar acerca del Amor. Aún cuando Yo Soy un Maestro del Rayo Azul, discutir este tema del Amor sigue siendo uno de mis favoritos.

Pero antes, permítanme darles algunos antecedentes. La Llama del Amor es una de las Siete Llama de Díos actuando en el planeta para la humanidad. El color de Amor se extiende en gran variedad de frecuencia, tonos y colores, alcanzando desde un rosado bien pálido hasta la más profunda luz de color rubí dorado, en miles de combinaciones de rayos de amor. El amor es la vibración que mantiene toda la creación de Díos funcionando juntos en orden perfecto, armonía y belleza majestuosa. El amor es el máximo sanador y regenerador. El Maestro Pablo Veneciano es el que ahora mantiene la oficina del Tercer Rayo del amor, llegando a ser él mismo la personificación de la Llama pura del Amor de Díos en el planeta.

El Tercer Rayo está conectado con el chakra del corazón, aumentando el Amor del Ser divino y humano. Las cualidades del Amor divino son, entre otras muchas, omni-presencia, compasión, piedad, caridad y el deseo de ser Díos en acción a través del amor del Espíritu Santo. Debido a su maestría de la Llama eterna del Amor Cósmico, el Maestro Pablo Veneciano también mantiene la oficina del Maha Chohan para el planeta. En esta posición en la jerarquía, él personifica en este momento la energía de lo que es conocido por Uds. como la Oficina del Espíritu Santo. Esto es una oficina muy compleja y maravillosa que puede llenar muchos capítulos en un libro.

Hay varios retiros ó templos de la Llama del Amor en el planeta. Tenemos un bello Templo del Amor aquí en Telos y hay Templos del Amor en todas las ciudades subterráneas y etéricas, no solamente en este planeta, sino también a través de este y otros universos. Pablo Veneciano, un Francés en su última encarnación, es el guardián de un retiro etérico del Tercer Rayo debajo del Chateau de Libertad en el Sur de Francia. El tiene otro retiro debajo del Templo del Sol en la ciudad de Nueva York. También hay retiros espirituales del Elohim del Amor, Heros y Amora, almas gemelas del Amor, alrededor del Lago Winnipeg, en Manitota, Canadá y otro templo fabuloso creado y guardado por los Arcángeles del Tercer Rayo, alma gemelas del Amor, Chamuel y Caridad, en St. Louis, Missouri, USA.

Permítanme ahora hablar del Amor por un momento, como la única fuerza verdadera y permanente en toda la creación, y luego voy a invitar a Pablo Veneciano para que les dirija la palabra.

El Amor no es una palabra. Es una esencia, un poder y una vibración. ¡Es Vida! El Amor es el elemento más valioso y la vibración en toda la existencia, una fuerza viviente, dinámica y eterna. Es el carruaje dorado que trasciende tiempo y elimina el espacio. El Amor es la primera sustancia de Luz fuera de la cual todas las cosas son creadas, es el poder unificado el cual mantiene todas las cosas juntas. El Amor simplemente contiene todo. Suficiente intensidad de Amor puede sanar y transformar todo. Así como no hay una barrera real dividiendo entre su ser humano y su Gran Ser Cósmico, no hay barrera real dividiendo entre el amor humano y su Amor de Cristo. Solo hay una diferencia de intensidad y vibración, es el amor humano encarnado y amplificado unos pocos millones de veces.

Hay aquellos en la encarnación que perciben el amor como una debilidad. El Amor ciertamente no es una debilidad sino la fortaleza más grande. El Amor es el atributo más importante de Díos que Uds. pueden cultivar y desarrollar. Su poder puede soportar todas las cosas, regocijarse en todas las cosas y glorificar todas las cosas. El amor es una fuerza constante desde la cual pueden extraer las energías y armonía de la vida. Su sanación con ternura penetra todas las cosas y envuelve cada corazón. Cuando uno desarrolla esta gran facultad de Amor dada por Díos, tendrán el poder de crear y traer cualquier cosa que contempla su visión del espíritu purificado de amor.

Para aquellos que han perfeccionado los fuegos del amor, el miedo no puede existir más. Su Ser Superior tiene la habilidad de transformar, instantáneamente, inmensas cantidades de negatividad humana en Amor y Luz pura. Cuando la adquisición de este gran regalo de Amor viene a ser su meta principal y su deseo en su vida, cuando ha llegado a ser una obsesión ardiente que no puede ser negada más, entonces será realizada. Semejante persona viene a ser el recipiente de un Amor tan grande que las paredes de la gloria son creadas alrededor de ese individuo, y nada que sea menos que el amor puro puede tocarlo.

Para aquellos que obtienen este regalo divino de Amor, los reinos de la luz se abren a lo ancho y todos los poderes son nuevamente otorgados sobre ellos. Belleza, juventud y vitalidad en toda su perfección divina, poder y majestuosa abundancia, todo el conocimiento de la Mente de Díos y todos los atributos espirituales restaurados en su total medida son los regalos del Amor perfeccionado. Recen a Díos y su Presencia divina con toda la energía de su corazón para que puedan abrirse a sí mismo a este amor divino como Cristo. Permitan que este amor empiece a cantar una canción de adoración y gratitud en su corazón. Permitan que su corazón sea elevado continuamente por la canción de su corazón, de su alegría y gratitud eterna y este gran amor vendrá a ser de Uds., dondequiera que estén. Todos los poderes y tesoros de los Altos Reinos les serán otorgados en el cielo como en la Tierra, por siempre hasta la eternidad.

Estos tesoros del cielo son los regalos divinos y cualidades que el hombre desarrolla al descargar los potenciales escondidos que son dados por Díos dentro del Ser, dentro del Sagrado Corazón, el asiento de su divinidad. Estos regalos y poderes que Díos sostiene para todos Uds., son Su plan para su restauración completa, como seres divinos, que El espera pacientemente hasta que Uds. los acepten completamente.

Dentro de cada uno de Uds., se mantiene una cuenta bancaria cósmica en la cual sus méritos son depositados ó sacados. En el siguiente mundo, el género humano no será evaluado por sus posesiones, o sus aprendizajes humanos, tampoco por sus posiciones terrenales ú honores. Un hombre es visto por lo que él ES, el nivel de lo que ha obtenido espiritualmente. En qué se ha convertido como ser divino, es la única medida de evaluar todo lo que él ha pensado, sentido o hecho. Esta prenda de vestir que es la Luz de Cristo de puro Amor, este adorno, que es un poder de resplandeciente belleza es llevado desde adentro como uno que empieza a colocar para sí mismo sus tesoros en el cielo. La vestimenta blanca de Luz glorificada que les será otorgada es el flujo de los intereses acumulados de sus depósitos hechos de amor, compasión, piedad, ternura, gratitud y alabanza.

Al Uds. aplicarse así mismos para personificar el Cristo-como Amor, regocíjense en estos tesoros dinámicos que han cumplido, al tiempo que el cielo proporciona abundancia e intereses ilimitados en su cuenta de banco cósmica multiplicada ¡cien por ciento! Si, y mucho más.

Para darles alguna idea, la mayoría de las almas de la humanidad en el momento presente todavía tienen la Llama del Amor ardiendo en sus corazones a un nivel de 1-16° a 1-18° de un centímetro. Muchos de Uds. a través de su aplicación y determinación han alcanzado un nivel más grande, pero todavía tienen mucho camino por recorrer. Cuando los fuegos del Amor dentro de su corazón ardan con una Llama de nueve pies de altitud (2 metros de altitud), Uds. sabrán que han obtenido lo que necesitan para que finalmente puedan ser llevados a "casa"en "Alas de Luz" y ser admitidos entre los inmortales.

*Aurelia - ¡Increíble! Esto suena ¡maravilloso! Adama. Yo quiero obtener eso. Gracias por recordárnoslo otra vez. Yo he sabido sobre este Amor maravilloso, pero no lo había entendido completamente. ¿Qué es lo que nos está deteniendo para explotar en la amplitud de nuestra divinidad, desde este deseo ardiente de realizar el amor perfecto?*

*Adama* - Hay varios factores, y yo les voy a mencionar unos pocos, Uds. pueden imaginarse el resto. No todo se aplica a Uds. personalmente, pero en general, varios de estos factores se aplican con la mayoría de las personas en distintos grados. Primero, la falta de vigilancia y motivación, con muy poca fe en esas promesas. Una falta de consistencia en su resolución de invertir suficiente tiempo y energía en su desarrollo espiritual, los mantiene en un estado de letargo espiritual y en un balance negativo espiritual. Sus deseos por el amor y la ascensión están todavía en aguas tibias.

***Hasta que se convierta en un deseo ardiente en su corazón y alma, tan grande que no puedan más vivir sin ello, no podrán generar suficiente amor, poder y energía para obtener este nivel de evolución.***

Yo diría, que la mayoría de Uds. están sufriendo un tipo de flojera espiritual, manteniéndose muy ocupados "haciendo" en lugar de "llegando a ser." Para mucho de Uds. que han establecido sus metas espirituales, luego encuentran excusas para evitar su compromiso con ellas. Muchos de Uds. no se han tomado el tiempo para sentarse seriamente con "Uds. Mismos" para escribir sus metas espirituales para esta encarnación. ¿Se han puesto ha considerar seriamente cómo van a alcanzar esas metas? ¿Cuántos de Uds. poseen un entendimiento completo de por qué han escogido encarnar aquí en este momento?

Les sugerimos que empiecen ahora cortando sus "listas de cosas que hacer" a la mitad é inviertan en Uds. mismos, en desarrollar e integrar el verdadero amor de su Divinidad. Esto toma tiempo, amor del ser, esfuerzo y compromiso en forma continua; simplemente no pasa solo.

Muchos de Uds. han delegado su evolución al "azar" durante muchas vidas, y todavía están aquí con dolor y carencia. En verdad, no hay nada más importante para que Uds. hagan en este momento. Recuerden, lo que hacen hoy, mañana y lo que hicieron ayer, tiene un impacto de corto tiempo en sus vidas. Pero lo que Uds. "llegan a ser" como seres divinos encarnados en una experiencia humana permanece con Uds. por toda la eternidad. ¿Cuál es más importante?

Uds. me dirán, "Pero Adama, tenemos que trabajar para vivir y cuidar de nuestras obligaciones de tercera dimensión." Y yo les digo a Uds., "Si, es verdad, y es importante para Uds. cuidar de su vida diaria con una perspectiva espiritual impecable. Es dentro del contexto de la vida diaria que Uds. construyen su carácter y desarrollan sus cualidades de Díos-escondidas."

Si Uds. le dan prioridad a sus metas de forma correcta y aprenden a manejar su tiempo de forma apropiada, dejando ir actividades sociales y de otra forma, que desde nuestra perspectiva son una perdida de su tiempo y energía. Todos Uds. podrían ser capaces de encontrar por lo menos una hora al día y más para invertirlo en su vida espiritual y en comunión con su Ser Divino. Es imperativo que todo Uds. empiecen a manejar su tiempo de forma más efectiva. Es parte del currículum de venir a ser un Maestro de Sabiduría. ¡Sean creativos! ¿Cómo esperan unirse en amor y divinidad con un aspecto de su Divinidad, si no tienen un interés real en invertir el tiempo para conseguir familiarizarse con ello?

Pueden empezar por hablar menos y reflexionar más en las maravillas y esplendores del Díos dentro de Uds. Mediten ó contemplen su divinidad interior mientras caminan por la naturaleza. Disminuyan la mayoría de la televisión y la habladuría que ya no les sirve en su evolución espiritual. La mayoría de Uds. pueden pasar menos tiempo en las tiendas. Casi la mayoría ha llegado a tener una adicción a comprar más cosas de las que realmente necesitan, que contribuyen al desorden en sus hogares. Esto les ahorraría dinero que podrían usar para cosas más importantes. En el reino de la luz, nos asombramos y nos desconcierta ver cómo toda esta generación se ha convertido en adictos a comprar y pasear en los centros comerciales constantemente, buscando nuevos dispositivos para comprar. Uds. se dan cuenta del cuadro, ¿Verdad? Hay unos cuantos factores más que yo podría mencionar acerca de sus hábitos humanos que los mantiene pegados a la tercera dimensión, pero lo dejo para que Uds. descubran el resto.

Tómense tiempo para revisar su vida y sepan por qué están aquí y adonde están yendo. Háganse un espacio para crear un plan espiritual para Uds. mismos y les prometo que nunca se van a arrepentir.

Hay tres tipos de personas: aquellos que hacen que las cosas pasen, aquellos que miran lo que está pasando y aquellos que no tienen idea de lo que pasó. Si Uds. desean montarse en la carreta de la ascensión en esta vida, van a tener que unirse a la categoría de las personas que hacen que las cosas sucedan. Esto quiere decir que tienen que crear activamente y perseguir todo lo que es requerido en su corriente de vida, para ser admitido dentro del gran Vestíbulo de la Ascensión en esta ventana de oportunidad excepcional en este momento. De lo contrario, simplemente no ocurrirá para Uds. en este ciclo. No ocurrirá por asociación, sino con esfuerzo y determinación constante para crearlo.

También tendrán que adherirse al proceso de purificación y transmutación diario, hasta que literalmente suceda. No importa por lo que tengan que pasar a veces para balancear todas sus deudas, si el fuego de sus corazones está ardiendo con suficientemente fuerza, este amor estará listo para llevarlos a través de todo el potencial de tribulaciones con suavidad y gracia.

*Aurelia* - *Eres muy claro y conciso en tus explicaciones.*

*Adama* - Lo soy, porque a mucho de Uds. se les está acabando el tiempo. Uds. han estado postergando por mucho tiempo y ahora faltan menos de cinco años para abrazar el viaje para la gran fiesta de la Ascensión planeada para el año 2012. La mayoría subestiman la seriedad y los niveles de compromiso necesarios para hacer la ascensión física a un nivel consciente. Por supuesto, siempre habrá otra oportunidad en otro tiempo, y 2012 no es el final, sino el principio de un ciclo de Ascensión para el planeta. Aquellos que lo posterguen ahora puede que no cumplan los requisitos a tiempo, y ciertamente se arrepentirán.

*Ahora invito a Pablo Veneciano para que les hable.*

*Pablo Veneciano* - ¡Amados niños de mi corazón! Les doy la bienvenida en la Llama del Amor. Que las bendiciones de la gracia del Espíritu Santo siempre me encuentre dándoles la bienvenida dentro de su corazón, sus sentimientos, y ¡sus almas! Suavemente como una paloma pura y blanca, lo cual simboliza Su conciencia. La gracia y humildad del Espíritu Santo conduce el dulce y delicado ritmo de su canción de ser, que con frecuencia son pasadas por alto por la mente Occidental. Cuando un hombre llega al lugar de "escuchar con gracia," cuando todas las energías inquietas de sus muchas personalidades son aquietadas, entonces la belleza, la gracia, la bendición y la presencia del Espíritu Santo fluye. Al llevar altas las alas de la paloma, su libertad es manifestada en "ser," no tanto en hacer.

Cuando uno vive y sirve de acuerdo a la guía del Ser Divino, hay felicidad y realización en ese servicio. Cuando uno está desarrollando nuevos momentos, hay dolor de crecer y ambos son esenciales para madurar la conciencia.

Cuando la corriente de la vida del discípulo es dedicada y sincera, él hace el esfuerzo de estar siempre en el lugar perfecto donde la sabiduría de la Presencia del YO SOY requiere que esté. La vida entonces siempre cooperará y guiará esa corriente de vida donde el servicio y avance más grande pueden ser rendidos.

Nuestras palabras son copas de cristales que llevan amor y paz dentro de la conciencia externa en aquellos del género humano que tienen la memoria de la amistad espiritual y la dulce asociación con nosotros en los niveles internos. A través del poder magnético del la Llama Enlazada de Tres dentro del Corazón, la atención de los maestros de los reinos altos pueden ser atraídos hacia Uds. para una asistencia mayor.

Una de las fuentes principales de infelicidad, frustración y stress experimentado por el género humano, es la capacidad y deseo de desobedecer las direcciones divina de su propia individualizada Presencia YO SOY y la guía de los Seres Ascendidos en la Luz. Siempre hay la posibilidad de escoger entre la alegre y complaciente obediencia iluminada, dirigida por la Presencia y el obstinado y el mal uso ignorante de la libre voluntad de crear imperfección. Se convierte en una elección personal y un asunto entre cada hombre y su Díos.

Hasta que cada miembro de la raza humana llegue al deseo personal de hacer la Voluntad de Díos y vivir con las leyes del Amor, no experimentará felicidad permanente o la alegría del logro victorioso, el cual trae paz, abundancia, amor ilimitado y una expansión espiritual que aún no es conocida por la mente externa.

El hombre no ha destruido su conexión consciente con su propia Presencia YO SOY individualizada, ni tampoco puede establecer nuevamente tal conexión en un momento. Requiere paciencia, persistencia, determinación, pureza de motivos, así como también un sentido bien desarrollado de discernimiento y una vigilancia constante en la puerta del corazón de la Presencia.

La Presencia de Díos está esperando, esperando por la oportunidad de servir a través de Uds. El bello, amoroso, todo poderoso Padre de la Vida permanece en una actitud constante de escuchar. En cualquier momento que El es llamado, responde con una arremetida de Su poderosa Presencia a través de instrumentos creados y preparados por Su Amor.

Amados niños del Padre/Madre de la Vida, ¿podrían sus ojos aunque fuera por un momento ver la eminencia de la Sagrada Presencia cuando sus formas inocentes se levantan de sus camas y ponen sus pies sobre el camino del día? Uds. entienden cuán rudo es el ser exterior al hacer esperar la Presencia, distrayéndose en cosas que no son importantes., y así pasa un día, una semana o una vida entera y la Presencia de Díos sigue esperando por la oportunidad de llenar su cupo con la gracia, paz, abundancia, sanación y amor.

Así que, mis amados niños, procedan a través del velo de la experiencia humana, recordando cuando sus pies pisen el suelo cada mañana que la Presencia de Díos está esperando para llenar sus días con la plenitud de su divinidad, si escogen ¡invitarlo! Recuerden hoy, al Uds. leer estas líneas, la Presencia de Díos está esperando para bendecirlos a cada uno de Uds. con la plenitud de Amor y Paz más allá de su entendimiento. Invoquen la Presencia cada día y cada hora del día para ser llenados con Amor, Paz y Armonía lo que les dará gracia en sus vidas para experimentarlas con suavidad y perfección.

## Códigos de Conducta para un Discípulo del Espíritu Santo

### El Maha Chohan

1. Sean conscientes siempre de su aspiración de personificar la expresión completa de la Divinidad y dediquen todo su ser y servicio para ese fin.

2. Aprendan las lecciones de no hacer daño—ni por medio de la palabra, ni pensamiento, sintiendo que nunca jamás van a infligir maldad o daño sobre ustedes mismos u otros seres vivos. Sepan que la acción y la violencia física los mantendrá en el reino del dolor, sufrimiento y mortalidad.

3. No muevan el mar de emociones de su hermano sin consideración o en forma deliberada. Sepan que la tormenta en la cual ponen a su espíritu, vendrá tarde ó temprano fluyendo sobre las orillas de su propia corriente de vida. En su lugar traigan siempre tranquilidad, amor, armonía y paz para todo lo que es vida.

4. Sepárense Uds. mismos del engaño personal y planetario. Nunca permitan amar su pequeño ser más que la armonía del universo. Si tienen razón, no hay necesidad de ovacionarlo. Si se equivocaron, recen porque sean perdonados.

5. Camina lentamente sobre la Tierra y a través del universo sabiendo que el cuerpo es un templo sagrado en el cual vive el Espíritu Santo, trayendo paz e iluminación a la vida en todas partes. Mantén tu templo siempre en una forma respetuosa y purificada, como es lo apropiado para la habitación del Espíritu de Amor y Verdad.

6. En la presencia de la Naturaleza, absorbe las bellezas y

los regalos de Su reino con suavidad y en gratitud. No La profanes con pensamientos desagradables, sonidos o emociones, o con actos físicos que despojan Su virginal belleza. Rinde honor a la Tierra, "La Madre" que está siendo anfitriona de tu camino evolutivo.

7. No ofrezcan o formen opiniones a menos que sean invitados a hacerlo, y solamente entonces después de una oración y una invocación en silencio para obtener una guía. Habla cuando Díos escoja decir algo a través tuyo. En otros momentos es mejor hablar poco, o permanecer en silencio, completamente en paz.

8. Permite que tú corazón cante una canción de gratitud y alegría hacia Díos. Sé agradecido siempre por todo lo que has recibido y lo que tienes en el momento de ahora. Toca a tú Río de la vida, Río del Amor y Abundancia que se encuentra dentro de tú Corazón Sagrado.

9. En el habla y la acción sé gentil, pero con la dignidad que siempre acompaña la Presencia del Díos viviente que vive dentro del templo de tú ser. Constantemente pon todas las facultades de tú ser y todo el despliegue interno de tú naturaleza a los pies del poder-de Díos, haciendo el esfuerzo de manifestar la perfección de la compasión cuando te reúnes con aquellos que se encuentran en aflicción.

10. Permite que tus palabras sean habladas con gentileza, humildad, y servicio amoroso. No permitas que la impresión de humildad sea confundida con letargo, porque los sirvientes del Señor, como el sol en los cielos, están eternamente vigilantes y constantemente derramando los regalos de amor a aquellos que abren sus corazones para recibirlos.

***Meditación***

## Viaje al Templo Cristal-Rosado del Amor

*Adama con Pablo Veneciano*

Este es uno de los templos del Rayo del Amor, guardado y mantenido por la Llama del amor de los arcángeles del Tercer Rayo, Chamuel y Caridad. Está situado sobre St. Louis, Missouri, en el lado sur de Norte América, Un arco de amor divino forma un puente entre este retiro y el de los Elohim del Tercer Rayo, Heros y Amora, en el reino etérico cerca del Lago Winnipeg en Canadá.

La emanación del Rayo del Amor desde este templo específico es un flujo de creatividad. La Llama de Amor desde este retiro promueve la generosidad del corazón, el dar, el perdonar y la piedad. La enorme energía de Amor simplemente limpia todo lo demás y asiste a la gente que visita este templo a retener más de las cualidades del Amor para sí mismo y para el mundo. El altar y la llama del retiro están dedicados al flujo de la vida desde el corazón del Creador hasta el corazón de Cristo y luego hasta el corazón del hombre.

Ahora, mis amados, vengan conmigo, acompañados por la energía del Espíritu Santo a través del amor del Maestro Pablo Veneciano a ese específico Templo del Amor. Cierren sus ojos y tomen unas pocas respiraciones profundas. Pongan su intención para venir con nosotros en el vehículo etérico que ahora les estamos presentando. Uds. vienen en su cuerpo de luz y pueden o no tener un recuerdo consciente de esto, pero producen el mismo beneficio. Usen el regalo de su imaginación para crear una impresión vívida de lo que le estamos presentando y el viaje permanecerá impreso en su alma y su memoria celular. Cuando lo necesiten, podrán tener acceso a ello, no necesariamente el recuerdo de todos los detalles, pero sí las energías que recibirán a través de esta experiencia.

También sepan, que mientras más experimentan estos tipos de viajes, más les ayudará a disminuir el velo de la ilusión que bloquea sus memorias y sus percepciones de las vibraciones altas. Pídanle a su Ser Superior que facilite este viaje para Uds. y con Uds. y abran su corazón para hacer que suceda en los planos interiores al más alto nivel posible.

Ahora estamos viajando a través del espacio desde su hogar en Mount Shasta al magnífico Templo Cristal-Rosa de la Llama del Amor. Sientan la fragancia de los pétalos cristal-rosa de amor fluyendo alrededor de Uds., aún antes de llegar. Uds. son muy bendecidos, para un grupo pequeño como este tener el privilegio de estar acompañado personalmente por el representante planetario Del Mismo Espíritu Santo, es realmente una ocurrencia rara. Permítanme compartir con todos Uds. que están aquí presentes ahora en este cuarto, que es su amor y su constante devoción por su camino el cual le permite a El darles esta gracia.

Respiren profundamente, mis amados. Relájense completamente dentro de la experiencia. Profundicen su respiración para permitirlos traer de vuelta la más grande impresión del alma que puedan crear. Esto los asistirá a mejorar su camino en una forma más armoniosa y directa. *(Pausa corta)*

Hemos llegado enfrente un gran edificio circular de múltiples niveles, de cristal-rosa translúcido. No es nada que hayan visto antes en su mundo externo. No hay palabras en su vocabulario y en su lenguaje para describir la estructura tan bella y elegante, diseñada por la creatividad del amor de los arcángeles Chamuel y Caridad.

Rayos emitidos de pura energía de Amor emanan desde el punto central del domo para radiar el Amor del Creador cientos de millas dentro de la atmósfera en todas las direcciones.¡La más maravillosa escena que pueden ver, mis queridos!

Permítanse caminar en la alfombra aterciopelada de color cristal-rosa que se extiende debajo de sus pies hasta la entrada del templo. Porque estamos en compañía del mismo Maha Chohan, no se les pedirá que muestren su pasaporte de entrada para ser admitido aquí. Dado que las frecuencias de los arcángeles son tan altas y raras, a ninguna alma se le permite venir aquí a menos que pueda mantener la frecuencia del amor y armonía de la cuarta dimensión todo el tiempo y están acompañados por uno de las Maestros de Sabiduría.

Al acercarse Uds. a la entrada, varios ángeles del Rayo del Amor de aproximadamente 12 pies *(4 metros)* de altura se inclinan ante la gran Luz del Maha Chohan. Ellos también se inclinan ante mi Luz y la Luz de Uds., esperando su entrada.

Cada uno de Uds. es escoltado por uno de los guardianes del templo. Este templo es tres veces más largo que el Vaticano de la Iglesia Católica en Roma y contiene muchas secciones de varias energías dimensionales de las numerosas actividades del templo.

Uds. son llevados a una zona la cual será confortable para su propio nivel de evolución del corazón. Ahora están cruzando un corredor largo lleno con miles de ángeles de la llama-de amor, de todos los tamaños. Estos seres angélicos varían desde los más pequeños querubines hasta el más grande serafín. Es más, los doce coros del reino angelical de todas las dimensiones están representados aquí.

Al caminar Uds. por el corredor, un gran número de fuentes y cascadas de pura energía de Amor surge de varios lugares. Las energías que emanan desde estas fuentes y cascadas cantan canciones de Amor y Gratitud perpetuamente al corazón del Creador, a la Madre Divina y a todos los reinos evolucionando en el planeta en todas las dimensiones. Esto también incluye la humanidad de la superficie. Si Uds. lo permiten, estas melodías de Amor pueden derretir mucha de la escoria que se ha acumulado en el corazón durante tanto tiempo. Escuchen y permitan a sus corazones unirse con las energías de las canciones del amor viniendo de las Aguas de los Eternos Ríos del Amor.

Palomas blancas puras de Amor, mucho más grandes que las que Uds. conocen en la superficie, les mandan su sanación radiante. Tomen su tiempo para mirar, sentir y observar las maravillas del Amor de Díos que están esperando ser colmadas sobre aquellos que aman la Vida y obedecen las Leyes Eternas del Amor. Nadie los está apurando. Recuerden, están aquí en una zona sin tiempo. También escuchen las canciones de amor de las muchas variedades de flores del Tercer Rayo, plantas y frutas con elegancia en este camino del templo. Permítanse recibir sanación desde la dulzura de las fragancias y melodías. Las palomas también desean conectarse con su corazón para ofrecerles consuelo en su viaje de regreso al "Sol de su Presencia." Es parte de su experiencia aquí, caminar por este corredor, el cual representa las energías del Amor mágico y puro. Si tienen alguna pregunta, cada uno de Uds. tiene su propio guía angelical esperando responderles. *(Pausa)*

Vean ahora una entrada a la derecha, sus guías los están invitando a que los sigan dentro del Vestíbulo de la Llama Eterna del Amor Cósmico. Esta es otra Llama sin combustible que está perpetuamente ardiendo para glorificar al Creador, el Padre de Todos. Por ley cósmica, todos los planetas que reciben el amor y energías del Creador deben devolverle a Él una porción de la misma cada día, producida por el fuego de aquellos corazones que habitan estos planetas. En este planeta, como la humanidad de la superficie ha descuidado hacer esto por tiempo infinito mientras estaban viajando en guerra y separación, nosotros en Telos, y muchos seres de la Tierra Interna y otras ciudades subterráneas lo hemos hecho en su beneficio. Y lo seguiremos haciendo hasta el día que todos Uds. obtengan suficiente madurez espiritual para que Uds. mismos puedan regresar ese nivel de gracia y gratitud al Creador.

Aquellos que sirven en el Templo de Cristal-Rosa como su servicio rendido de por Vida, también alimentan la Llama Eterna de Amor a través de los fuegos de amor de sus corazones. Cuando decimos sin combustible, nos referimos al elemento que nutre y mantiene la Llama ardiendo perpetuamente desde el fuego de Amor de aquellos que sirven en este templo. Es más, todas las acciones combinadas con los otros Templos de Amor mantienen la misma energía creando una red de Luz que nutre todas las civilizaciones y los varios reinos viviendo en la Tierra.

Esta Llama, siempre tan gentil y poderosa, se eleva cien pies y más en altura y aproximadamente 9 pies en diámetro *(30 metros y más de altura y aproximadamente 3 metros en diámetro)*. La fuente de su fuerza es el poder de gentileza, es dichosa, alegre y juguetona, conteniendo todas las muchas bendiciones que el Creador desea otorgar a Su Creación y a los muchos niños de Su corazón. Su generosidad no tiene límites.

Tomen su tiempo ahora para respirar aún más profundo. Conéctense profundamente con la Llama, permitiéndole llenar su corazón completamente; y relájense en los brazos del Amor. ¡Qué maravilloso! *(Pausa)*

Cuando sientan que su corazón ha sido llenado en toda su capacidad, pueden regresar en silencio a la mercaba de cristal esperando ahí afuera para traerlos de vuelta a su cuerpo físico.

En profunda gratitud, denle las gracias a Pablo Veneciano por la Gracia que les ha dado hoy y en el futuro para aquellos que estarán trabajando con este material escrito. Cuando estén listos abran sus ojos y regresen a su cuerpo.

Concluimos ahora, con estas palabras nuestra meditación. Los animo a que regresen allí en conciencia en cualquier momento que sientan que necesitan aumentar los fuegos de su corazón a un nivel más elevado. Les traigo mucho amor desde Telos; nuestro amor por Uds. es puro y sin condiciones, listo para acompañarlos en su paso hacia el final de su viaje.

Aurelia - *En nombre de todo el grupo presente, te doy las gracias Adama muy profundamente por todo lo que haces por nosotros y también agradezco a Pablo Veneciano por al Amor, la Gracia y las Bendiciones que El ha otorgado sobre nosotros hoy. Nos sentimos muy privilegiados diariamente de recibir esta información directa. ¡Estoy muy agradecida!*

Adama - De nada, ¡mis amados!

*Lord Serapis Bey*

# Capítulo Cuatro

## El Cuarto Rayo:

## La Llama de la Ascensión y Purificación

**Las cualidades y acciones principales de Díos en el Cuarto Rayo:**
Pureza, integridad, conciencia de Cristo y llegar a ser Díos a través de la conciencia de la Madre Divina.

Chakra correspondiente: Base de la columna
Color: Blanco
Piedra correspondiente: Azurita, Cuarzo nevado

**Chohan del Cuarto Rayo:**
Lord Serapis Bey
Su Retiro: El Gran Vestíbulo del Templo de Ascensión en Luxor, Egipto

**Arcángeles del Cuarto Rayo con su Complemento Divino:**
Gabriel y Esperanza
Su Retiro: Entre Sacramento y Mount Shasta, CA, USA

**Elohim del Cuarto Rayo con su complemento Divino:**
Pureza y Astrea
Su Retiro: Cerca del Golfo de Arcángeles, Rusia

## Acerca de Lord Serapis Bey

Lord Serapis Bey es el Chohan del Cuarto Rayo, guardián de la Llama de la Ascensión. Es un maestro que impone disciplina, conocido a través de los siglos por su disciplina estricta. La disciplina no es el control sobre otro, para frustrar el progreso innato, sino más bien mantiene en control las cualidades humanas, para permitir al Ser Real tener expresión. Esto es esencial para realizar la Ascensión, la cual es la culminación de todas las encarnaciones.

Él esta dedicado a la perfección del alma a través de la compasión, paciencia, entendimiento y auto-disciplina. Ayuda a todos los que puede llamar hacia él, en el desarrollo de sus facultades creativas e intuitivas del corazón. Lord Serapis Bey puede ser invocado para abrir tus ojos a la belleza de la creación de Díos. El asiste a todos los que lo llaman para expresar sus aspectos más creativos que provienen del sentimiento en el corazón.

## Encarnaciones de Lord Serapis Bey

- Serapis Bey, fue encarnado como un sacerdote de alto rango en el Templo de la Ascensión en Atlantis hace más de 11,500 años. Es uno de los que trajo la Llama de la Ascensión de Atlantis a Egipto, justo antes de la destrucción de ese continente.

- Serapis Bey pasó muchas vidas a lo largo del Nilo, y como el faraón Egipcio Amenhotep III, (1417–1379 A.C.) fue llamado "el Magnífico." El llevó Egipto a una gran altura de prestigio diplomático, prosperidad y paz. Su construcción extensiva de monumentos, palacios y templos incluye la construcción del Templo de Luxor.

- Su más famosa encarnación fue Leonidas, Rey de Esparta,

el gran guerrero que guió a los espartanos en la famosa batalla en Thermopylae, Grecia.

- Serapis Bey ascendió alrededor de 400 A.C.

## El Templo de Luxor

En la tierra de Egipto, a lo largo de las orillas del Río Nilo, existe el enfoque de la Gran Hermandad Blanca dedicada a la preservación de la Llama Cósmica de la Ascensión. El Templo de la Ascensión en Luxor sostiene la pulsación de la Llama de la Ascensión en la atmósfera de la Tierra. Aquellos de la raza humana que se despiertan en cada siglo con el deseo de completar los ciclos de encarnación, pasan a ser responsabilidad de la Hermandad de la Ascensión. Este servicio de por vida, crea las oportunidades necesarias para las iniciaciones de los neófitos que vienen a Luxor a formarse para la Ascensión. Serapis Bey, Lord del Amor explica que Luxor provee la oportunidad para el desarrollo espiritual.

La Llama de la Ascensión en Luxor y la que está generada en Telos, ambas, sostienen las mismas frecuencias y están disponibles para la gente de la Tierra. Esta llama es utilizada libremente por el reino natural en su resurrección, cada estación sucesiva de primavera.

**Desde Lord Serapis Bey:** ***El candidato para la Ascensión debe cumplir "siete iniciaciones mayores." El candidato debe pasar con éxito a través de las disciplinas de los Siete Grandes Templos.***

"Yo Soy la personificación de la disciplina," dice Serapis Bey. Por siglos la mayoría de las personas han tenido miedo a la disciplina. Yo estoy dedicado a asegurarme que Uds. pasen a través de los fuegos de la purificación, y que el que desee la oportunidad de ganar su ascensión pueda perseverar hasta el día de su victoria. Los ángeles del Templo de la Ascensión se reúnen todos en alabanza, adoración, canciones, devoción y bendiciones enviadas hacia arriba, por individuos en veneración, en grupo ó en forma individual. Estas energías, creadas por las prácticas de devoción, son tejidas con mucho cuidado dentro de una corriente de energía que siempre se está expandiendo. Cada nueva alma que obtiene el estatus de la Ascensión le facilita el camino para la siguiente corriente de vida y participan del momento cósmico unido completamente por aquellos que han ido antes.

**Primero:** El candidato debe aprender a controlar y transformar todos los pensamientos y sentimientos que no están alineados con su Ser Divino. Esta es la iniciación de maestría del primer templo, el Templo de la Voluntad de Díos, que aquellos que tienen esperanza y son valientes deben pasar. El candidato debe aprender a comunicarse con su propia Presencia de Díos y desarrollar dentro de sí mismo verdadera humildad ante Él. Dentro de este primer templo, bajo la dirección del Maestro El Morya y sus asistentes, el aspirante es asistido en la disolución de la rebeldía. La rebeldía tomó a Lucifer desde el corazón del cielo; la rebelión en contra de la disciplina y auto-corrección es una barrera para el progreso espiritual real. Dentro de la disciplina está una buena noche de sueño, abstinencia de fumar, alcohol y drogas, esto puede facilitar su camino a su libertad gloriosa. Aquello que no desean aceptar, esas disciplinas, todavía no tienen el estímulo de llegar a ser la más grande y alta expresión de un Díos encarnado.

**Segundo:** Aquellos que han pasado con éxito las iniciaciones del primer templo son llevados al segundo templo, conocido como el Templo del Aprendizaje. Bajo la guía de Lord Lanto, el Maestro Kuthumi y la Hermandad de la Vestidura Dorada, ellos reciben instrucciones en la Ley. Aquí desarrollan un entendimiento de la Ley de causa y efecto y todas las otras leyes Universales. Es un tiempo placentero y feliz de sembrar las semillas, de respirar vida sobre esas semillas y traer la cosecha del trabajo. Es el momento en que el artista desarrolla su habilidad, el músico desarrolla la destreza en sus logros musicales y el maestro llega a ser elocuente en transmitir su conocimiento a sus estudiantes.

**Tercero:** Aquellos que han pasado con éxito las iniciaciones del segundo templo son llevados al tercer templo, el Templo del amor, bajo la gran protección y guía del Amado Pablo Veneciano. Aquí el neófito debe aprender la disciplina del amor incondicional y la armonía para su propia corriente de vida, y para todas las otras formas de vida. Ellos son colocados en viviendas con aquellos que tienen dentro de sí mismos tendencias, las cuales son particularmente irritantes para otros. Entonces es, cuando el número de neófitos disminuye y con un gran sentimiento de alivio, muchos de los candidatos corren hacia la puerta y se van. Vivir en paz con el prójimo es una de las más grandes pruebas del estado no-ascendido. Aún cuando la amabilidad, la belleza y la benevolencia de este gran Maestro son asombrosas, como para derretir un corazón de piedra, la disciplina que él requiere para aprender tolerancia, compasión y entendimiento es tal que pocos sobreviven.

**Cuarto:** Desde el tercer templo, el iniciado es movido dentro del cuarto templo, el Templo de la Ascensión. Este es el primer contacto personal que Serapis Bey tiene con el neófito. Por primera vez, el candidato debe traer suficiente pureza para ver su Presencia del YO SOY y su Ser del Cristo Sagrado cara a cara. En la iniciación, el Maestro mismo se parará dentro del aura del iniciado, mostrando los muchos balances negativos, los cuales todavía existen dentro de los cuerpos internos. Entonces es cuando el candidato escuchará muchas voces, y solamente la verdadera discriminación, la oración, el dar sin egoísmo y humildad, podrán hacerle discernir la "Voz del Silencio." Es el momento cuando el "Ser" aprende los trucos del ego y su sutil apariencia. El aspirante debe aplicarse a purificar todas las creaciones negativas humanas del pasado y transformarlas en un Resplandor de Luz pura-blanca.

**Quinto:** Después de pasar la iniciación del cuarto templo, el discípulo está listo para la disciplina del quinto templo, el Templo de Consagración. Es entonces que el vestido de consagración es colocado sobre ellos, sandalias doradas en sus pies y una sotana de seda en sus cuerpos. El Maestro Hilarión ó el amado Rafael llevan a cabo el servicio de consagración, donde todos los sistemas del cuerpo son consagrados a la pureza y ascensión. Entonces, consagraciones son dadas de las manos, dentro de las cuales la Llama de Sanación es infundida y de los pies, los cuales vienen a ser el soporte del Fuego Sagrado, donde quiera que el cuerpo se mueva. La consagración de los labios toma lugar para hablar las Palabras Sagradas, las cuales invocan y comandan la manifestación de los poderes de precipitación y sanación. Consagración de las energías de los ojos, permiten al discípulo ver la perfección y llamar por ella. Esto completa la ceremonia.

**Sexto:** El aspirante es entonces tomado al sexto templo, el templo de Servicio, donde se espera que él ponga a un lado temporalmente sus aspiraciones mundanas para estar en servicio de otros, y para llegar a ser el guardián de su hermano. También se espera que él sea voluntario, parte de su tiempo, para el servicio planetario para el beneficio del género humano; no solamente para él mismo y su familia. El debe aprender a incluir el resto de la humanidad en su corazón, llegando a ser completamente consciente que las necesidades de otros también afectan las necesidades de muchos. En el sexto templo, bajo el patrocinio de Lord Sananda, con su amada alma gemela, Lady Nada *(también conocidos como Jesús y María Magdalena),* el aspirante es entrenado para nutrir y servir todos los aspectos de la Vida y llegar a ser un sirviente ministerial.

Antes de que el candidato para la ascensión pueda llegar a ser un maestro, debe aprender también las disciplinas del sirviente humilde, servicio sin retribución personal, verdadera hermandad y obediencia a la Jerarquía. Aquellos que han pasado casi toda sus vidas en el servicio de alguna actividad ú organización, para asistir y mejorar la conciencia del colectivo, son normalmente iniciados del sexto nivel. En el pasado, Serapis Bey vio a muchos de Ustedes marchar de Luxor con el convencimiento de unirse a los servidores de la luz, para ayudar al cambio planetario. Pero muchos perdieron la fuerza y la fe, retrocediendo en su actitud apenas abandonaron el gran templo. Perdiendo así su oportunidad para la Ascensión en muchas encarnaciones.

**Séptimo:** Después que el aspirante pasa las iniciaciones de los primeros seis templos, él está listo para entrar en el séptimo templo, el Templo del Fuego Violeta, donde cada átomo, célula y electrón de su ser viene a ser completamente purificado por la acción de la Llama Violeta, bajo el patrocinio del maestro Saint Germain. El candidato llega a ser como una ventana a través de la cual la vida-de-Díos fluye con pureza absoluta. El cuerpo físico les dará las más grandes posibilidades con suavidad y gracia, dentro de las Leyes de la armonía, si se abstienen de tomar dentro del cuerpo físico aquellas substancias, las cuales cambian la acción vibratoria natural, desconectándolo de la armonía de las esferas del Amor divino. Cuando el candidato está listo para exteriorizar completamente la Voluntad de Díos y empieza la preparación para iniciar la fase final de la ceremonia de graduación de la Ascensión, entonces todo está listo para que el candidato llegue a ser un "maestro ascendido." ¿Entendieron? ¡Bendiciones desde el corazón de Luxor!

## Transmisión desde el Corazón de Lord Serapis Bey, el Lord del Amor

Amados Hermanos y Hermanas de la Tierra, con el gran Amor de mi Corazón les envío a cada uno de los que están leyendo este material las bendiciones de Luxor y Telos. Dense cuenta, amados míos, que jamás en la historia de la tierra, la oportunidad para la humanidad de obtener la libertad de su gloriosa Ascensión, había sido ofrecida con tanta comodidad y gracia en este maravilloso tiempo de preparación para la Ascensión del planeta. Una ventana excepcional de oportunidades es presentada para aquellos en la humanidad que desean ganar su libertad espiritual, y que están deseosos de hacer lo que sea necesario para que suceda.

Yo no estoy proclamando que va a ser totalmente fácil para todo el mundo. Mi promesa para Uds. es que yo y el largo equipo de la Hermandad de la Ascensión de Luxor y de Telos, están listos para apoyar y asesorar con mucho amor y compasión aquellos que seriamente se comprometen a su evolución. Sí, muchos de Uds. van a enfrentar retos temporales en estos momentos, pero si los enfrentan con rendición, devoción, alegría, entusiasmo y la actitud de gratitud, por la oportunidad excepcional ofrecida a Uds. en este tiempo, estén seguros de que el resto del camino no tiene que ser dificultoso.

Todo tiene que ver con la percepción y reacciones que sienten en relación a lo que se presenta en sus vidas, como una oportunidad para alinear karma pasado e integrar las lecciones que necesitan aprender para poder llegar a ser un Maestro Ascendido. Aún cuando las iniciaciones son básicamente las mismas para todos, ellas se manifiestan en una forma diferente para cada corriente de vida, de acuerdo a su camino único y el propio nivel de iniciación y evolución de cada uno.

Sepan, amado míos, que una vez que han hecho un compromiso serio para su Ascensión todo el cielo está a su disposición, para atenderlos y asistirlos de la forma más maravillosa. En tiempos pasados, la Ascensión era extremadamente difícil de obtener. Con la nueva dispensación dada ahora a la humanidad por su Creador, el camino básicamente permanece igual, pero ahora tienen mucha más asistencia disponible para Uds. y mucha más información que en el pasado, donde no se tenía acceso a esta información.

Luxor y Telos están esperando su retorno. La mayoría de Uds. han venido a ambos lugares muchas veces, pero mucho se fueron temiendo que iba a ser muy difícil. Y todavía están aquí en la superficie de la Tierra, con frecuencia en dolor y desespero. Dense cuenta que las dificultades temporales en el camino, son mucho más fáciles de sobrellevar, que las de la corriente de vida de dolor y lucha que han experimentado, una vez que abrazan la ilusión de que no podían hacerlo.

Es más, yo les diría a todos Uds. que si están realmente decididos acerca de ascender en esta vida, y si aplican todas las Leyes del amor con absoluta constancia y perseverancia, "pueden hacerlo." Con nuestra ayuda y con la ayuda de su "Presencia del YO SOY" y su "Cuerpo Mental Superior", nada es imposible. Es más, no solamente es posible sino también muy necesario para su evolución que no se queden atrás en la tercera dimensión, mucho tiempo después de la Ascensión de la Tierra alrededor del 2012. Esta es mi promesa para Uds., que nosotros igualaremos sus esfuerzos en asistirlos a cada uno. Los amamos a todos con mucho amor y nuestra dedicación para asistirlos es ¡absoluta! Una vez que descubran la verdad real acerca de la Ascensión, más nunca tendrán dudas en dejar ir su estilo de vida fuera de moda, que han aceptado como "normal," y se prepararán para a vivir como verdaderos Niños de Dios.

En nombre de aquellos de la Hermandad de la Ascensión en Luxor, que sirven conmigo en ese Sagrado Propósito de sostener las Energías Sagradas de la Llama de la Ascensión, les enviamos a todos Uds. que están leyendo nuestras palabras de Sabiduría, nuestros Amor más profundo y un Mantel de Paz. YO SOY Serapis Bey desde el Templo de la Ascensión en Luxor!

## Oración de Sanación del Cuarto Rayo

# Oración para la Ascensión Personal

En el nombre de mi amada Presencia-de Díos "YO SOY." Yo pido recibir las iniciaciones necesarias para calificar para la Ascensión. Yo llamo al gran rayo cósmico de Llama Pura Cósmica para remover de mi mente, mis pensamientos, mis sentimientos, mi cuerpo, y todos los cuerpos sutiles, cada vibración de creación humana que es impura en sustancia y menos que mi Perfección Divina en Díos.

Que la Llama de la Pureza transforme de mi mundo
¡Todas las energías negativas que han permanecido!
Que el Amor de Cristo se expanda en mí
a través del poder de la ¡Llama de la Ascensión!
Que la Llama de la Resurrección despierte las memorias
de mi plan divino para que yo pueda ser libre para siempre,
de toda discordia que alguna vez ¡haya creado!

Yo afirmo que YO SOY pureza en acción.
YO SOY la Pureza de Díos establecida dentro de mi mente,
cuerpo y alma. Permítanme también invocar Pureza
para mi familia, mis amigos y para toda la familia de Díos,
todos los Reinos y la Tierra.
Que así sea, ¡amado Yo Soy!

## Discurso de Adama con Serapis Bey

Paz y amor desde el Corazón de Lemuria, este es Adama con el Chohan del Cuarto Rayo, nuestro amado Serapis Bey. Yo les traigo las bendiciones de mi Luz y la victoria que se encuentra dentro de ella. Les estamos dando la bienvenida con el más fuerte sentimiento desde nuestro corazón.

Hoy deseamos hablar acerca de la Llama de la Ascensión, la más maravillosa acción del fuego sagrado que puede facilitar su camino hacia la meta de su ascensión. Cuando posean un entendimiento más específico de cómo usar conscientemente esta Llama gloriosa de purificación, podrán acelerar el proceso de limpieza de todas sus chakras, la activación de su ADN y preparar las células de sus varios cuerpos para la ascensión física. Esto es nada menos que magnífico, mis amigos.

Lord Serapis Bey vino hoy con su equipo de maestros que se han especializado en ese servicio. Ellos son conocidos como "la Hermandad de la Ascensión de Luxor." Estos maestros irradian hacia a Uds. ahora el elixir del amor de sus corazones, a través de los fuegos purificantes de la Llama de la Ascensión. Respiren esto, mis amados; esto es un regalo para Uds. Estos seres han trabajado íntimamente con nuestro hermano Serapis por varios siglos, planeando la evolución de la raza humana para el momento que finalmente ha llegado. Su servicio a la Vida, consiste en el compromiso de sus energías en preparación para la elevación de nuestro planeta y de la conciencia de la humanidad para la ascensión del planeta en los años venideros.

El Templo de Ascensión en Luxor sostiene la pulsación de la Llama de la Ascensión en la atmósfera de la Tierra, como también lo hace el Templo de la Ascensión en Telos. Visualicen dos templos unidos en conciencia y en energía, bendiciendo y amando diariamente cada hora todo en la Tierra para el beneficio de ascender la humanidad. Cada año en primavera, esta Llama Sagrada es utilizada libremente y ampliamente por los seres del reino natural, para asistir a la renovación y resurrección de la belleza en la Naturaleza. Cada alma en la Tierra, que desea completar su ciclo de encarnaciones por el proceso de la Ascensión, es puesta bajo el tutelaje de la Hermandad de la Ascensión y de la Oficina de Cristo.

Hace unos doscientos años, una gran porción de las actividades y registros, que esta gran pirámide sostuvo por tanto tiempo en Luxor, fue transferida ó duplicada en Telos. La reubicación de los registros fue implementada entonces, porque la jerarquía espiritual del planeta podía anticipar el potencial de futuros problemas en esa área del globo. Los registros y energías de ese enfoque sagrado no podían ser comprometidos en el evento de un cataclismo regional ó global que había en el horizonte en ese entonces. Así que ahora, Telos ha llegado a ser el enfoque principal de la Ascensión para este planeta, en total unión y cooperación con el gran maestro de Luxor. Todos trabajamos juntos en perfecta armonía para el beneficio de la colectividad. Este es uno de los protocolos de la quinta dimensión.

La decisión fue tomada de que los registros de este importante enfoque planetario estarían más a salvo bajo tierra y mejor guardados en su pureza y santidad original, nutrido y honrado por un número largo de seres ascendentes como aquellos de nosotros en Telos.

Aún cuando puede parecer que ahora hay dos enfoques principales de la Ascensión en el planeta, yo les digo que para nosotros solo hay una. En la dimensión en la cual nosotros funcionamos, tiempo y espacio, como la mayoría de Uds. lo entienden, no existe y todos es uno.

Después del hundimiento de Atlantis y Lemuria, la población de la superficie ha continuado con guerras unos contra otros hasta el día de hoy. Mantengan la esperanza y el coraje, mis amados. Sepan que no será tolerado por mucho más tiempo y esta conciencia pronto llegará a su final y será sanada.

En Telos, después de la destrucción de ambos continentes, nos ofrecimos para la tarea de mantener la Llama de la Ascensión para beneficio del género humano, como nuestro servicio a este planeta para poder asegurar su continuidad. Desde el Amor de nuestros Corazones, les extendemos a Uds. este día su oportunidad para abrazar y expandir esta maravillosa Llama dentro de sus corazones para su propia Ascensión. Les decimos que el corazón asciende primero, y luego el resto le sigue.

Aurelia - *¿Es verdad que un gran porcentaje de la humanidad ascenderá para el año 2012?*

Adama - No se sabe todavía cuántas personas ascenderán con el planeta para el año 2012. Nosotros percibimos un potencial de unos pocos millones de los 7 billones de gente en el planeta, pero este número está sujeto a cambios en cualquier momento, de acuerdo a las decisiones individuales y colectivas. Con frecuencia oímos aquellos que se llaman a sí mismos "trabajadores de la luz" decir eso, para el año 2012, toda la humanidad ascenderá a la quinta dimensión sin condiciones y que nadie será dejado atrás. Y nosotros les contestamos, "No es cierto." Nadie será dejado atrás, pero todo el mundo debe hacer su propio trabajo interno primero y evolucionar su conciencia antes de ser invitado al gran "Vestíbulo de la Ascensión."

Si bien hay una asistencia mucho más grande ofrecida a la humanidad como nunca antes en la historia de la Tierra, y el proceso de la Ascensión ha sido hecho más fácil que nunca, ninguno de Uds. será elevado dentro del proceso de la Ascensión hasta que hayan completado todos los requerimientos y alcanzado esta frecuencia en su conciencia, no importa cuánto tiempo les tome cerrar el ciclo.

Será requerido a aquellos que aspiran a la Ascensión que sanen y transformen todos sus sistemas de creencias erróneas y abracen el amor, no hagan daño y se acerquen a la verdad de su divinidad. Sepan que el año 2012 no es el fin del ciclo de la ascensión en este planeta, pero si un maravilloso principio. El proceso planetario total para la Tierra completar Su ascensión, Su gloria total y Su destino final, es un plan establecido de 2.000 años. En 2012, es la Tierra la que hace su Ascensión en la Luz, junto con todos aquellos que han completado todos los requisitos necesarios.

En los años venideros del año 2012, todas las almas encarnadas en la Tierra continuarán su evolución y ascenderá solamente cuando estén listos al nivel de su alma. Para algunos puede tomar seis meses, otros de cinco a ocho años y para muchos será más largo. También necesitarán comprometerse seriamente en el proceso de la iniciación que lleva a la ascensión. El viaje de cada uno es único, y aún cuando el proceso iniciático es similar para todo el mundo, se revela diferente para cada alma de acuerdo a su propio camino distintivo.

Es verdad que a cada uno, sin excepción, se le ha ofrecido la oportunidad para la Ascensión en este momento, pero no todo el mundo lo ha decidido. Aquellas amadas almas que deciden continuar la experiencia de separación, ó no están todavía listos para este paso evolucionario, les será dada la oportunidad de continuar su evolución a su propio paso en otra parte. La gracia de la Ascensión será ofrecida a ellos otra vez, más adelante, cuando ellos lo pidan. En su momento, todo el mundo regresará a la frecuencia del amor del corazón del Creador, de esta forma, nadie será dejado atrás.

*Aurelia - ¿Adama, nos puedes dar una descripción de esta Llama?*

*Adama* - Esta llama contiene la frecuencia y color de todas las otras Llamas. Uds. lo ven ó experimentan como un blanco brillante, luminoso, con Luz deslumbrante, que consume al contacto todo lo que es menos que la perfección de Amor. Su poder y brillantez son ilimitados, sosteniendo mundos en perfecta armonía y belleza.

Aquellos que invocan y trabajan con ella, deben estar preparados para el cambio. Una vez tocados por esa Llama, nunca son los mismos otra vez. Todo el mundo puede trabajar con ella, por supuesto, pero en su intensidad completa, sostiene la capacidad de transformar completamente al iniciado que ha alcanzado la puerta de la Ascensión. Cuando finalmente estén listos para hacer este salto en su evolución, serán sumergidos en la frecuencia de esta energía magnífica. Los va a propulsar al paso final donde los fuegos de ese Amor consumirán todas las limitaciones humanas. Su conciencia completa será restaurada y todos sus cuerpos serán alienados y unidos. Entonces, serán invitados a unirse a los "inmortales" como maestros ascendidos. Serán atraídos hacia esa libertad espiritual, gloriosa y conscientemente se re-conectarán con su Creador y con todo lo que existe dentro de Su corazón. Esto, mis amigos, les muestra cuán poderosa es la Llama de la Ascensión.

*Aurelia - ¿Cómo podemos conscientemente alcanzar y mantener este nivel de frecuencia?*

*Adama* - Esta información ha sido entregada a la gente de la Tierra una y otra vez, pero ha sido ignorada; en esta época, se entrega otra vez a través de una gran variedad de escritos y canalizaciones. Ha sido presentada a Uds. simplemente en tantos paquetes y colores que Uds. no han podido reconocerla.

A menos que una enseñanza y la llave de la sabiduría sea aprendida completamente e integrada a través del corazón, esta permanecerá como "sólo información" y desorden en su mente, y prontamente olvidada. finalmente no se produce avance en la evolución de su conciencia. Nosotros conocemos gente que ha leído cientos de libros espirituales; han adquirido conocimiento mental, pero cuando este conocimiento no es integrado para personificar a su divinidad, el progreso espiritual permanece al margen.

Permítanme mencionarles brevemente otra vez, repitiendo lo que se ha dicho anteriormente, con la esperanza que si es repetida suficientemente en sus conciencias esta enseñanza penetrará. La "Ascensión" no requiere el hacer muchas cosas, pero es todo acerca de llegar a ser, abrazar y recordar vivir sus vidas como el Díos/Diosa que son. Significa abrazar completamente la divinidad que ya existe dentro de Uds., a través de la expansión de su conciencia como Seres de Amor, y vivir desde esa sabiduría del corazón. Es así de simple, mis amados. Si Uds. llegan a ser esto, no necesitan más nada. Todo esto ya existe y vive dentro de Uds. Yo les recuerdo que no hay nada fuera del Ser.

***Aquí hay algunos de los puntos ó guías para ser entendidos y considerados acerca del camino iniciático que los guiará a la graduación del Currículum de la Tierra, a través del protocolo de la Ascensión.***

- Este proceso es de purificación y sanación completa de todo lo que está impidiendo su transfiguración. Resurrección y ascensión dentro de los brazos de Díos/Amor; la restauración de su dignidad y memorias para que vivan, una vez más, como niños divinos de su Padre/Creador celestial entrando en el mundo de la "Unidad."

- Entiendan que cada dimensión representa una cierta frecuencia. La quinta dimensión viene a ser accesible para Uds. cuando, y sólo cuando, han obtenido la frecuencia en su conciencia y han tenido la habilidad de mantenerla todo el tiempo.

- Vivan desde el corazón, hablando y actuando como lo haría un maestro, como una forma de "ser." Siempre háganse a sí mismos la pregunta, "¿Qué haría ó diría el maestro en esta o aquella situación? Luego vayan hacia adentro y encuentren la respuesta. Si no les queda claro, tomen un pedazo de papel y pluma, enciendan una vela si desean, y pongan su intención de encontrar la respuesta dentro de Uds. El maestro está dentro, despierto y alerto todo el tiempo, por siempre esperando ser reconocido.

- Dejen ir la conciencia de la tercera dimensión de separación, dualidad, polaridad y drama en todas las formas innumerables. Paren de creer en dos poderes y de dar su poder y su preciosa energía a la ilusión de esta Tercera densidad. Permítanse a sí mismos poner a un lado todo lo que han leído hasta ahora, que no les ha dado los resultados que anhelaban. Estén listos y deseosos de aprender de nuevo y tengan el coraje de asentarse dentro de la realidad desconocida del Amor y Magia. Reconozcan que el Amor es el único poder verdadero que hay y empiecen a vivir su vida en esa frecuencia vibratoria desde adentro hacia afuera.

- Dejen ir todos los juicios y expectativas acerca de Uds. mismos, de los otros, y de cómo su vida debe desenvolverse. Permítanse percibir y abrazar todas las maravillas y majestuosidad de "Uds." en el esplendor de su divinidad, y acepten la gran aventura de dejar que se revele y transforme frente a sus ojos, en profunda alegría y gratitud.

- Abracen el estandarte de la humildad, y la dulce rendición de los votos sagrados de uno mismo. Si no saben cuáles son, ellos están escritos dentro de sus células y el ADN, así como también en muchas de las cámaras de su Sagrado Corazón. Estén disponibles para tomarse el tiempo de ir hacia dentro e investigar.

- Establezcan una unión consciente con su Presencia del YO SOY y el cumplimiento de su plan divino. La Ascensión es la unificación, la fusión dentro de la unión divina con su magnífica Presencia del YO SOY. Para poder personificar este aspecto glorioso de Uds. mismos, es un requerimiento obvio que se familiaricen muy bien e íntimamente con ese aspecto del Ser con el que Uds. desean unirse. ¿Cómo pueden esperar ascender y unificarse con un aspecto del Ser del cual no se han tomado tiempo para conocer y entender?

  Cuando le preguntamos a personas, a través de las sesiones de canalización, qué significa la ascensión para ellos, nos asombra las respuestas que recibimos, tales como cambiando dimensiones, ser capaz de manifestar todo, no teniendo que ser limitado más por el dinero, ser capaz de tele-transportar...y etc. Aún cuando estos llegan a ser los regalos y resultados de la ascensión, estos no son la razón principal. UDS. el nivel de comprensión de su divinidad y llegar a serlo, es la gran razón.

- Abracen la conciencia de no hacer daño, al honrar la santidad de toda la vida compartiendo este planeta con Uds. y también el derecho divino de cada persona de vivir aquí también.

- Dejen ir la vieja programación que maneja sus vidas y todas las emociones negativas guardadas en la memoria de su conciencia, inconciencia y subconciencia, incluyendo el balance de todas las deudas incurridas hacia la vida. Uds. ya han recibido muchas enseñanzas en este sentido.

- Cuando un individuo cree que sus deudas son ligeras y entra dentro del espíritu de soltarlo continuamente dentro del fuego sagrado, crea una gran descarga de alegría que fluye a través de su ser. El sentimiento de alegría dentro de su conciencia, tiene la tendencia de crear maleabilidad en el anillo de energía que mantienen los registros de las deudas, relajando las tensiones dentro de los anillos energéticos y liberando al individuo para moverse más rápidamente a través de todas las iniciaciones con mayor suavidad y gracia.

- La actitud que asiste más a cualquiera para moverse a través del balanceo de su creación de sombras es doble. Primero, adopten como una forma de vida, cada momento del día "como un acto de amor," para Uds. mismos, para su compañeros, para el planeta, para otros reinos compartiendo el planeta con Uds. y en gratitud hacia la creación misma. Y segundo, practicando la actitud de gratitud los asistirá inmensamente.

- Nutran y expandan un deseo genuino por su ascensión e inmortalidad, abrazando el deseo de caminar el camino ¡hasta el final! A menos que entretengan un genuino deseo por la ascensión e inmortalidad, a menos que estén deseosos de despojarse de las viejas formas de vivir en la tercera dimensión, que los ha mantenido a Uds. y a la humanidad en dolor, estén dispuestos a caminar el camino que les ha sido señalado por los Maestros de la Sabiduría, lo cuales han caminado esa vía con anterioridad, no pueden llegar a ser verdaderos candidatos para la Ascensión en los planos internos.

***En la búsqueda de la Ascensión el poder del Amor debe convertirse en el calor ferviente, el cual causa que los elementos de creación mortal se derritan y el cuál lanzará al candidato para la Ascensión dentro de la gran piscina cósmica del Amor y Luz inmortal.***

## Mensaje de Serapis Bey

Para aquellos que se llaman a sí mismos buscadores de la verdad y que anhelan tener contacto con la Jerarquía de Luz y de la Gran Hermandad Blanca, es necesario que vengan directamente bajo la guía y el tutelaje de los grandes maestros profesores. El camino de la maestría, realización, libertad, victoria y ascensión puede ser solamente ganada a través del proceso iniciático. Para todos los grandes maestros que han podido ascender desde este planeta, o en cualquier otro lado, la Llama de la Ascensión siempre ha sido la llave más importante, la cual abre la puerta de la inmortalidad para cada alma.

Yo he guardado, guiado y me he colocado dentro de la Llama de la Ascensión, por un tiempo muy largo para que pudiera haber una forma y manera con la cual la humanidad, cuando terminara con las tonterías de lo sentidos, pudiera regresar a su estado Divino. Desde la "caída del hombre," si no hubiera habido una Hermandad guardiana de la Llama de la Ascensión, no habría forma de regresar al hogar para la humanidad. ¿Alguna vez se han preguntado desde las más profundas partes de su ser, cómo hubiera sido si no hubiera habido forma de regresar al hogar?

Con este fin, muchos de nosotros hemos permanecido prisioneros del Amor, temporalmente, sobre esta Estrella oscura. La Hermandad de Lemuria de Telos, se ha unido a nosotros en esta vigilia de la Ascensión para el planeta. Juntos hemos mantenido la Llama del Amor y Luz para el beneficio del género humano por millones de años, hasta que llegue el día, cuando hayan adquirido suficiente madurez espiritual para que Uds. tomen parte de esta responsabilidad planetaria.

Yo estoy dedicado a vigilar que pasen a través de los fuegos de purificación, y que aquellos que han aplicado para tener la oportunidad de obtener el estado ascendente, permanezcan firmes y vigilantes en su compromiso, hasta que esta gloriosa victoria llegue a ser su realidad. Somos amigos-del corazón de muchos años.

### *Cita de Lord Jesús/Sananda*

> *"Sabiendo la hora suprema de esta gloria, yo no puedo sino urgir a cada querido niño de Díos que se prepare para ¡ese momento glorioso! Cuando la hora llegue y la notificación desde el Padre de la Luz alcance su corazón, Uds. también sabrán que el propósito verdadero y total para las encarnaciones humanas, es para preparar su conciencia para llegar a ser un Sol de Luz dentro de si mismos, libres de la rueda de nacimiento y muerte, y un maestro de energía y vibración."*

Aquellos interesados en visitar los Templos de Ascensión en Luxor y Telos se les requiere que traigan de vuelta en su conciencia esa energía elevada, optimista y alegre, la cual es la actividad de la Ascensión. Esta Llama entrará dentro de la sustancia elemental de sus cuerpos internos, así como también la forma física y actuará como la "levadura en el pan," cuando es invocada con determinación. Al pasar la Llama blanca y pura a través de la substancia de los cuerpos—físico, mental, emocional y etérico—del aspirante, acelera la acción vibratoria de los átomos, cada electrón moviéndose más rápidamente alrededor de su polo central. Esto causa que las substancias impuras y discordantes alrededor del electrón sean arrojadas fuera, acelerando el ritmo de todos los vehículos.

Para ascender al estado de auto-maestría, la sabiduría de Díos, paz, armonía, salud perfecta, sin limitaciones y el siempre presente suministro, el candidato para recibir el gran regalo de la Ascensión debe aprender a confiar totalmente en la Presencia de Díos dentro del corazón. La disciplina de la Hermandad de la Ascensión está diseñada para cambiar la conciencia desde el mundo externo "hacia dentro," hasta que, desde dentro del centro del corazón, el asiento de su divinidad es llevado hacia delante y a voluntad, entonces cualquier cosa que es requerida para manifestar la amplitud de su Esencia Divina en manifestaciones físicas. Todo debe de ser purificado y transformado a través de los fuegos de ascensión de esa ¡Llama royal, deslumbrante y purificadora!

### *Meditación*

## Viaje al Templo de la Ascensión en Telos

### *Con Adama y Lord Serapis Bey*

Junto con nuestros honorables invitados aquí esta noche, doce miembros de la Hermandad de la Ascensión de Luxor, los invitamos ahora a venir con nosotros en un viaje al Templo de la Ascensión de Telos. Si desean esta iniciación como un maestro, pongan sus intenciones en su corazón con su Ser Superior y guías para venir junto con nosotros para esta experiencia.

Una merkaba de luz blanca deslumbrante de la quinta dimensión está ahora acercándose para llevarlos en sus cuerpos etéricos a aquellos que escojan venir. Con intención avancen hacia ese vehículo de luz y tomen su asiento. Les pedimos que empiecen a prepararse, centrándose en su interior y permitiéndose sentir y percibir las energías animadas y alegres de esta

Llama envolviéndolos ahora. Les pedimos que a través de este viaje, respiren lo más profundo que puedan para poder traerse de vuelta la máxima energía de esta Llama para su conocimiento externo. Esta experiencia es otra oportunidad de elevarse a sí mismo para el siguiente nivel del proceso de purificación para cada célula, átomo y electrón de sus cuerpos físicos y sutiles.

Como no estamos muy lejos, ya estamos aquí. Ábranse a esta experiencia tan conscientemente como puedan y ¡disfrútenlo! Este templo está construido en forma de una pirámide inmensa y muy alta de luz blanca centellante con cuatro lados. Si han estado en la que hay en Egipto, notarán que no es exactamente la misma, pero similar en muchas formas. Por supuesto, los aspectos de la quinta dimensión de esas dos pirámides de ascensión son mucho más gloriosas, elegantes y magníficas en naturaleza, que la de afuera visibles a los ojos en Egipto. La de Telos no tiene una equivalente en la tercera dimensión como en Luxor, y su poder y belleza son imponentes.

Desciendan de la merkaba y nos siguen al "Vestíbulo de la Ascensión," donde cada uno de Uds., se unirá a un guía de la Hermandad de la Ascensión que los escoltará durante su experiencia aquí. Sientan el aire, las energías, el poder y el brillo de este lugar sagrado. También los alentamos a que pongan atención a su guía y hagan preguntas en las cuales desean claridad. Esta es su experiencia, amados, y Uds. la crean en cualquier forma que deseen. Nuestro papel es simplemente acompañarlos con nuestro amor y sabiduría.

Por momentos, casi son cegados por tanto brillo y eso es bueno. Ahora están caminando a través de un corredor de belleza exquisita que lleva a la cámara del acelerador atómico. Continúen llenando sus pulmones y conciencia con esta belleza y alegría. Al caminar a lo largo encuentran muchos seres que sirven en este templo, o que están visitando aquí, ellos los observan y los saludan con sus sonrisas y gesto de amistad. Todos ellos, en su propia forma, les dan la bienvenida y les envían sus bendiciones. Los vestíbulos de este templo están normalmente abiertos solamente para aquellos cuya candidatura para la ascensión ha sido aceptada.

Los guardianes de la cámara del acelerador atómico les dan la bienvenida, y ahora están entrando a este gran vestíbulo con su guía. Lo que ven es un cuarto muy largo que contienen varios cientos de pirámides pequeñas, deslumbrantes, blancas cristalinas, en un círculo alrededor del enfoque principal de esa Llama que se encuentra en el centro del cuarto. Por momentos son cautivados completamente por la maravilla y magnificencia de la Llama de la Ascensión inmortal sin combustible, ardiendo brillantemente enfrente de Uds., casi 200 pies de altura y 100 pies de diámetro en la base *(60 metros de altura y 30 metros de diámetro)*.

Su poder casi los abruma, sepan que una vez que han tenido una experiencia profunda de esta Llama, nunca van a volver a ser los mismos, a menos que conscientemente escojan regresar a su nivel pasado de resonancia. A pesar de su gran poder impetuoso, no emite ningún sonido, excepto los sonidos melodiosos de la música que es creada por su campo de energía. También noten la dulce fragancia que facilita elevar su frecuencia, emanando desde las energías de la Llama de la Ascensión.

Con su guía, ahora caminan alrededor de la base de la Llama para llenarse con todos los regalos espirituales que pueden recibir aquí hoy. Su guía, el cual ya ha elegido una de las pequeñas pirámides para Uds., los invita a que se sienten confortablemente para su siguiente experiencia. Cada una de esas pequeñas pirámides de luz contiene un acelerador atómico que los asistirá en elevar su vibración a un nivel que es confortable para Uds. Estos aceleradores han sido diseñados en una forma tal, que podría elevarlos a la frecuencia y la inmortalidad de la Ascensión, pero esta no es la meta para esta experiencia. Realmente están aquí para experimentar "un pequeño empuje" a su siguiente nivel que es diferente para cado uno. El nivel de aceleración que cada uno recibe es calibrado a su siguiente nivel de iniciación, y del que estén preparados en su camino.

Por más que muchos de Uds. desearían tener la experiencia de la Ascensión completa en este momento, no van a desaparecer. Les garantizamos que regresarán a su cuerpo físico en buena forma, y cargados con una nueva y más pura vibración en su campo aúrico. Uds. son los que elegirán a partir de hoy, usar esta experiencia lo mejor que puedan, como un paso hacia delante, ó olvidar rápidamente lo que han ganado y mantener el status quo. Nosotros solo somos sus facilitadores.

¿Qué es un acelerador atómico? Para aquellos de Uds. que no están todavía familiarizados con este concepto, del cual el Maestro Saint Germain ha hablado en sus canalizaciones durante este último siglo, permitan que les describamos brevemente. El es uno de los diseñadores de esta tecnología. El acelerador atómico hace exactamente lo que su nombre dice. Es un asiento ó silla cristalina diseñada con una tecnología que crea la frecuencia de la Llama de la Ascensión para aquellos sentados en ella. Como muchos de los instrumentos en su mundo, posee un botón de control y al meditar en esta Llama y poner el amor de su corazón en ella, son infundidos por su guía con esta frecuencia,al nivel exacto que mejor los sirve en el momento de ahora. Sus guías ya saben la frecuencia que es mejor para Uds. y ellos están bien entrenados en aplicarla.

Este tipo de tecnología no está disponible todavía en su dimensión. Tiene la habilidad de transformar dentro de la perfección, cada elemento que vibra a una frecuencia que es menos que la esencia del Amor más puro del Creador. Uno puede realmente y simbólicamente decir que tiene la habilidad de transformar los metales básicos en el oro más puro. En otras palabras cuando llegue el momento de la Ascensión para Uds. se transformará su cuerpo mortal con todas sus imperfecciones y limitaciones, a un cuerpo solar de luz inmortal, sin muerte, con la majestuosidad y esplendor que todo ello conlleva.

Al continuar sentados en el sitio asignado, sigan respirando mientras se comunican con su Esencia Divina y con el Creador. Pongan sus metas para la Ascensión en esta vida y abran su corazón a su Díos. *(Pausa para integración)*

Cuando se sientan completos, miren a los ojos de su guía y reciban el amor que les emite a través de los ojos de su alma, y expresen su gratitud. Cuando se sientan listos, párense y guíen a su conciencia para salir con su guía de la cámara donde están, y vuelvan de regreso a la merkaba que los trajo aquí. Ahora los estamos llevando de vuelta al hogar de Aurelia, con su campo aúrico y sus corazones llenos con un nuevo amor y una nueva vibración de luz. Está en Uds. mantenerla, nutrirla y expandirla.

Ahora regresen completamente a la conciencia en su cuerpo y ofrezcan su gratitud a Díos por la oportunidad y el regalo que acaban de recibir, sean dichosos y alegres. Los amamos en lo más profundo y este amor los acompaña cada día de su vida.

## El Acelerador Atómico/Silla de la Ascensión, una Herramienta para Crear un Cáliz de Luz

Saludos, amados, este es Adama con el Maestro Saint Germain. Me gustaría hablarles acerca del acelerador atómico que muchos de Uds. ya conocen, como la silla de la Ascensión usada en los planos interiores para varios propósitos. Hay muchos que han estudiado las enseñanzas de las dispensaciones formales con Saint Germain, donde este concepto ha sido mencionado varias veces, pero puede que no haya sido entendido completamente. Permítanos darles ahora un entendimiento más amplio de esta maravillosa herramienta, amados míos, para que puedan usarla para ayudarles a Uds. y a otros en el camino a la Ascensión.

Mientras les hablo, la energía del Maestro Saint Germain está aquí conmigo y somos ambos colectivamente ahora hablándoles a Uds., unificando nuestras energías como una. En los reinos de la luz, hay tal unidad de conciencia que podemos mezclar nuestras energías y pensamientos fácilmente; nosotros disfrutamos mucho cuando hacemos esto.

El acelerador atómico, ó la silla de la Ascensión, es un regalo a la Tierra y a la humanidad desde el corazón del amado Maestro Saint Germain. Es una herramienta para ayudar a elevar la vibración de un candidato para la Ascensión. Contiene las frecuencias de la Luz blanca y pura de la Llama de la Ascensión. Puede también ser usada para elevar la vibración de uno en forma gradual y suave. Cuando el botón es puesto a máxima intensidad, elevará a la persona literalmente dentro de la vibración del cuerpo electrónico para una Ascensión completa, instantánea y permanente dentro de los reinos de la luz y la conciencia de la quinta dimensión.

En el pasado y ahora, muchos candidatos en los planos interiores, cuando estaban listos y se sentaban en una de estas sillas para su graduación terrenal, recibían su ceremonia majestuosa de la Ascensión completa en el Reino de la Luz, honrados y apoyados por una congregación larga de maestros y seres de muchas dimensiones. Cuando el botón es puesto en su máxima intensidad, todas las energías que quedan en el registro del candidato que son menos que la Luz pura y el

Amor puro, son disueltas en la intensidad de la frecuencia de Ascensión. El candidato es instantáneamente transformado y reconectado con la totalidad de su Esencia Divina, con todos los regalos espirituales y atributos restaurados.

Esa es la ceremonia verdadera y permanente de la unión divina, ¡amados! Este es el gran matrimonio de la alquimia con el Ser que tantos de Uds. están anhelando. Aún cuando esta no es la única forma que uno puede hacer su Ascensión—hay por cierto bastantes opciones—esta es la que es usada más comúnmente ahora.

Para poder recibir este regalo, uno debe definitivamente estar listo espiritualmente a todos los niveles, o los resultados pueden ser desastrosos. Pueden confiar que ninguno de nosotros podría ofrecerles hacer esto a ninguno que no haya obtenido el nivel completo de iniciaciones requerido para recibir tal bendición. Hay unas pocas más de estas sillas en este planeta, guardadas en varios retiros espirituales de la quinta dimensión de la Gran Hermandad Blanca. Tenemos uno en Telos y Saint Germain tiene uno en su retiro en el Pico Jackson en Wyoming. Hay también uno en los Himalayas y en otros pocos retiros.

Nuestro canal, Aurelia, fue dirigida por nosotros hace varios años a que invitara amigos a su hogar una vez al mes para conducir el ritual de la ceremonia de la Ascensión para aquellos deseando profundizar su compromiso a esta meta, a la jerarquía espiritual de este planeta, y a su Presencia del YO SOY. Cada vez que Aurelia facilitó esta ceremonia con un grupo, un gran número de nosotros vino para asistir. El Maestro Saint Germain siempre vino con su acelerador atómico portátil, el cual consiste en una caja pequeña etérica, la cual él coloca debajo de la silla en su dimensión, designada para ese propósito.

Cada vez, Saint Germain mismo controla la intensidad y

velocidad que cada candidato puede recibir para poder elevar su vibración al siguiente nivel, sin mucha molestia ó disturbios en el nivel presente. Esta caja móvil del acelerador, es la misma tecnología que la versión completa de la silla del acelerador atómico en los reinos de la luz, pero está diseñada para ser usada en las ceremonias hechas en localidades, donde la gente de la superficie ha escogido hacer el trabajo de la Ascensión.

Aurelia ha conducido estas ceremonias de Ascensión desde 1994, en su hogar mientras vivía en Montana. Ella ha continuado este servicio para el planeta y por la humanidad desde ese entonces con regularidad. Ella ha realizado este servicio de la Luz con cada grupo que ha venido a Mount Shasta para los viajes iniciáticos, y también en otros varios países del mundo durante sus viajes al extranjero para conferencia y talleres.

## El Beneficio y el Poder de Expandir el Momento

Hemos notado, cuán maravillosas, poderosas y bellas las energías han venido a ser a través de los años, con cada ritual que Aurelia ha facilitado, se añade energía a la suma del total de todas las ceremonias pasadas. Con gran interés y gratitud, hemos observado, que después de muchos años de prácticas regulares de este ritual, el Cáliz de Luz creado ahora con cada ceremonia está creando un gran momento. Las energías casi se han duplicado en intensidad y belleza cada vez que esta ceremonia sagrada se realiza. Esta ceremonia afecta y ayuda, no solamente a las personas que participan en el grupo, sino que también crean una red de Luz tocando casi el planeta entero.

Muchos de Uds. no están haciendo progresos en su viaje espiritual tan rápido como les gustaría, ó alcanzando los resultados que desean en sus esfuerzos mundanos. Esto es, principalmente, porque no están en el hábito de crear suficiente momento para alcanzar sus metas. Es necesario expandir momentos más grandes para congregar suficiente energía en su mundo y poder crear cualquier cosa que desean.

***Aún los seres representando el "lado de la sombra" entienden muy bien este principio, y son mucho más vigilantes en crear su momento de oscuridad, que la Gente de la Luz en crear su momento de Luz.***

Su complacencia es uno de los factores principales para el nivel profundo de oscuridad, densidad y dolor en el cual todo este planeta ha caído. Momentos de Luz es lo que todos aquellos de nosotros, que han llegado a ser maestros han acumulado suficiente para poder manifestar cualquier cosa que queremos, en cualquier momento que deseamos.

Primero, en 1994, cuando Aurelia empezó a hacer su pequeña ceremonia con cuatro ó cinco personas, el Cáliz de Luz creado con cada ceremonia fue muy pequeño y ni siquiera cercano a lo poderoso que es hoy. Ella continuó creando su momento, año tras año, haciendo ceremonias cada vez que tenía suficiente gente interesada. Ella no era consciente del impacto de expansión.

Con cada ceremonia, el maestro Saint Germain llega con su caja del acelerador atómico etérico, invisible para aquellos que todavía no son clarividentes y lo pone debajo de la silla designada y decorada para ese propósito. En nuestro reino, lo consideramos que es como una caja física, hecha de tecnología de quinta dimensión y cierto tipo de cristales. Tiene botones que uno puede mover para encender ó apagar, así como la tecnología en su reino.

Cuando el grupo está listo, y la invocación de la intención es hecha por Aurelia, el Maestro Saint Germain prende el acelerador atómico. ¿Qué es lo que hace? Todo alrededor y debajo de la silla, hay una emanación de la frecuencia de la Ascensión que empieza a irradiar hacia fuera. La persona sentada en la silla recibe la frecuencia de acuerdo a su nivel de evolución y capacidad de recibir.

El progreso es supervisado cuidadosamente, porque la energía de la llama de la Ascensión emanando desde la pequeña caja podría literalmente hacerlos llegar a ser invisibles rápidamente, si es utilizado en toda su potencia. Estén seguros, que hasta que el momento de la gloria completa de su Ascensión es ofrecido, solamente recibirán pequeños incrementos, cada vez que participen en estas ceremonias.

Al evolucionar su conciencia, la Llama de la Ascensión ayuda en su proceso de purificación cada vez en mayor medida y los asiste en elevar su vibración cada vez que ponen su intención a través de este ritual sagrado.

¡Es tan bello! cuando hacen esto! si pudieran solamente verlo desde nuestra perspectiva. Al reunirse, ayudan a sostener la energía por cada uno de Uds. Cada persona viene a sentarse en la silla a declarar su intención en voz alta, delante de sus amigos y delante de Díos para expresar sus deseos e intenciones para la Ascensión. El candidato también declara, el deseo de hacer lo que sea necesario hacer, para que esto pueda pasar. Cuando el candidato formula una oración, el Maestro Saint Germain ajusta el botón de su acelerador, para fluir el campo de fuerza con el nivel de la frecuencia de Ascensión apropiada para esa persona en el momento actual.

Cada vez que Uds. hablan desde su corazón en la silla y ponen su intención, crean una explosión de Amor y Luz que es la maravilla más grande de contemplar. Esa es la razón por la cual, cuando hacen estas reuniones, siempre hay una congregación larga de Seres de Luz desde muchos reinos de este planeta, muchos otros planetas y sistemas de estrellas que se deleitan en ver lo que están haciendo. Ellos desean ser testigos de esta maravillosa explosión de Luz creada por los miembros de la humanidad en la superficie. Ellos siempre agregan a sus momentos de Luz, su amor, apoyo y confort.

## Cómo Crear Su Ceremonia

Lo que hacen es reunirse en un círculo. Cada persona viene a sentarse en la silla de la Ascensión designada y expresa su intención, preferiblemente en voz alta, con el corazón completamente abierto, sus metas para esta vida y su Ascensión. Hagan la oración más honorable que su corazón les dicta ó inspira a hacer en ese momento.

Cada persona sostiene en sus manos un cristal que les da el facilitador, y se sienta en la silla por aproximadamente de tres a cinco minutos. Cuando termina, él/ella da la señal con los ojos de haber terminado y el grupo canta tres "OM's" para asistir al anclaje de la energía en lo físico, mientras la persona permanece sentada. Antes de cantar cada OM, el que facilita la reunión, ó la persona designada, toca las campanas tibetanas una vez. Entonces la persona regresa a su asiento y la siguiente persona viene hacia el frente. La gente no necesita venir en un orden específico. Siempre hay un flujo natural creado y cada uno toma su turno cuando se sienten listos. El facilitador usualmente es el último, pero esto no es la regla.

Cuando todo el mundo termina, Saint Germain, Serapis Bey y yo Adama los invitamos a tomar un elixir el cual es cargado con la frecuencia del "Luz Líquida Dorada." El facilitador vierte jugo de manzana con gas ó cualquier otro jugo dentro de pequeños envases y los distribuye al grupo.

El facilitador, u otra persona, hacen una pequeña invocación para pedir que el líquido, que cada persona sostiene en su mano derecha, sea infundido con la frecuencia de Luz Líquida Dorada. El que hace la invocación toma una pausa por un momento para que el maestro oficiante transforme el líquido a la frecuencia que es más apropiada para cada persona. Cuando la señal es dada, cada persona lentamente toma el líquido que ahora se ha convertido en un elixir de alquimia sagrada, expresando su profunda gratitud por el regalo y las ricas bendiciones que han sido otorgadas sobre ellos.

El elixir creado durante la activación de la Ascensión es tan efectivo como el que damos en los planos internos. Uds. oyeron ó leyeron en uno de los libros "YO SOY", alrededor de 1930, cuando David Lloyd tomó el elixir que le fue dado a él por Saint Germain en Mount Shasta, inmediatamente él empezó a desaparecer, y ascendió dentro de los Reinos de la Luz enfrente de un grupo de personas, creando mucho asombro en cada uno de los presentes. Sepan, mis amados, que David Lloyd hubiera podido hacer su Ascensión diferente, pero fue la decisión que él hizo en los planos internos, de ascender en esta manera especial y fue aprobado. Pasó de esta forma para él, porque era su momento para ascender.

Nosotros también podemos cargar el elixir de tal forma que podrían desaparecer, pero ese no es el plan para Uds. ahora. Nosotros simplemente no vamos a hacer eso, ¡aún si Uds. lo piden! No, hasta que sea su momento y crean lo que les decimos, varias personas han hecho ya esa petición. Lo siento amigos, por aquellos que lo han pedido, pero es imperativo que esperen hasta el momento adecuado.

Vendrá un momento en el futuro, cuando la Ascensión en grupo se manifestará, y en algunos casos, pasará delante de otros que serán testigos de esto, Ese momento no está muy lejos. La ascensión no le ocurrirá a nadie por sorpresa. Si esto les pasa a Uds. es porque están totalmente preparados y han dado su consentimiento completo para este tipo de Ascensión.

Cuando hacen sus grupos con el acelerador atómico, el Maestro Saint Germain siempre controla la cantidad exacta de energía dada a cada uno, de acuerdo al nivel de vibración que cada persona puede aguantar.

Algunos de Uds. dudan, o se sienten con pena de hablar desde su corazón en una forma abierta enfrente de sus hermanos y hermanas. Sepan, mis queridos, que en los reinos de la luz no hay secretos; todo se conoce. Es mejor que empiecen a acostumbrarse ahora, si tienen la intención de venir aquí. Les será más fácil después. Una vez que llegan a las dimensiones más altas, nada puede ser escondido. Es una práctica muy buena ser capaz de abrir su corazón enfrente de sus hermanos y hermanas y que no se guarden nada.

¡No hay vergüenza en lo que están haciendo! Es tan bello. Crea una explosión de Luz cada vez y su Luz es amplificada al apoyarse mutuamente, creando un Momento de Luz en su "viaje a las estrellas."

Los invitamos ahora, para que empiecen a hacer reuniones en grupos de todos los tamaños en sus ciudades, pueblos y países, por lo menos una vez al mes, como hermanos y hermanas para reforzar sus deseos e intenciones para su meta espiritual. Permitan que el momento crezca con cada ceremonia y con la intención de cada uno.

¡Imagínense cuán poderoso puede ser esto! Lo que Uds. van a estar haciendo, es creando pequeñas redes de Luz de la Ascensión en todas partes en el planeta, que ganará grandes y más grandes momentos, cuando hayan más y más personas haciendo esto. Este momento de Luz ganará mayor poder, cuando las energías creadas se unan todas juntas. Este es el gran Momento de Luz y la Llama de la Ascensión que se necesita para propulsar este planeta y toda la humanidad que ha escogido ascender en un gran torbellino de Luz de la Ascensión, lo cual disolverá toda la oscuridad en este planeta, restaurando completamente a cada hombre, mujer y niño la dignidad de su divinidad.

Esto es como la oscuridad será totalmente disipada y tragada en una gran victoria de Luz. Pero Uds. tienen que hacer su parte en su dimensión, amados niños de nuestro corazón. Sencillamente no va a pasar automáticamente sin su contribución y participación, o solo con desear que así sea.

Nosotros desde Telos disfrutamos mucho las ceremonias de Amor y viendo sus intenciones. Estén seguros de que yo-Adama, Lord Serapis Bey y el Maestro Saint Germain estaremos con Uds. cada vez que hagan las ceremonias, apoyándolos y amándolos todo el camino hasta su propio día victorioso de la Ascensión.

*Adama* - ¿Quieren hacer un comentario ó tienen alguna pregunta?

*Aurelia* - *Esta es la ofrenda más increíble que nos han dado acerca de formar grupos alrededor del mundo y experimentar niveles de la frecuencia de Ascensión, a través de facilitar ceremonias de Ascensión y tomando elixir espiritual. Estás ofreciéndonos a nosotros un incremento permanente de frecuencia a través de este hermoso ritual. ¿Es eso correcto?*

*Adama* - Si, lo estamos, y lo pueden hacer tan seguido como quieran. Es su decisión si quieren usar esta herramienta para ayudarlos en su camino. Es una herramienta cuyas energías simplemente crecen y aumentan al reunirse en grupo. Muchas personas desean ascender, pero con frecuencia se olvidan de poner sus intenciones y no siempre están deseosos de poner el esfuerzo necesario para obtener la abundancia de su libertad espiritual.

En el tiempo de Lemuria, nosotros participábamos en ceremonias de Ascensión cada semana. Incluso los niños participaban con otros niños de su edad y lo disfrutaban mucho. Es más, para la mayoría de los niños, el permiso de atender estas ceremonias era considerado un premio, el cuál esperaban deseosos cada semana.

Cuando se reúnan y refuercen sus intenciones, se convierten en algo más poderoso en sus vidas. Estas reuniones pueden ser creadas como una forma maravillosa de pasar el tiempo juntos con otras personas que piensan igual que Uds. Incluso pueden compartir una comida juntos después, si lo desean. Esta es la forma de Lemuria, hacer cosas juntos en forma simple, sin pompa ó circunstancias, simplemente ser los dioses y diosas que somos. Los invitamos a hacer y ser lo mismo. Aprovechen las ventajas de estas herramientas que les ayudarán a elevar su conciencia en formas muy simples y agradables.

Y así será, amados niños de nuestro corazón. Vayan en paz y en amor con Uds. mismos. Pronto, nos reuniremos cara a cara en los brazos del Amor.

*Maestro Hilarión*

# Capítulo Cinco

## El Quinto Rayo:

## La Llama de Sanación y Manifestación

**Cualidades y acciones principales de Díos en el Quinto Rayo:**
Sanación a todos los niveles, verdad, constancia, creación a través de Manifestación, abundancia de Díos a través del corazón de la inmaculada María.

Chakra Correspondiente: Tercer Ojo
Color: Verde
Piedra Correspondiente: Esmeralda, Jade, Crisoprasa, Rubí

**Chohan del Quinto Rayo:**
Maestro Hilarión
Su Retiro: El Templo de la Verdad, Creta, Grecia

**Arcángeles del Quinto Rayo con el Complemento Divino:**
Rafael y Madre María
Su Retiro: Templo de Sanación, Fátima, Portugal

**Elohim del Quinto Rayo con el Complemento Divino:**
Ciclópea y Virginia
Su Retiro: Altain Range, China

## Acerca del Maestro Hilarión
## Un Verdadero Maestro en las Artes de Sanación

El Maestro Hilarión viene con una energía maravillosa y personifica amor puro e incondicional. El siempre está listo para asistirnos en nuestro crecimiento y en la meta de regresar de donde vinimos. Uno de sus enfoques primarios es el de Sanación, alcanzando a todos aquellos que desean su asistencia. Su sanación envuelve todo e incluye la sanación del cuerpo físico, así como la sanación de las emociones, la mente y el Espíritu. El también es un maestro de la Verdad y Ciencia. Hilarión y su Hermandad se definen a sí mismos guardianes de aquellos niños bendecidos de la tierra que han dedicado sus vidas a mover la causa de la Ciencia, los secretos de la Naturaleza y la alquimia del Quinto Rayo.

## Encarnaciones del Maestro Hilarión

- Hilarión fue Sacerdote de alto rango en el Templo de la Verdad en Atlantis y él transportó la Llama de la Verdad a Grecia, poco tiempo antes del hundimiento del continente. El enfoque de la verdad que él estableció llegó a ser el punto focal del Oráculo de Delphi, un lugar donde los altos iniciados de ese templo actuaban como mensajeros de Díos bajo el patrocinio de Palas Atena por cientos de años.

- Hilarión fue encarnado como Saúl de Tarsos, que luego vino a ser el Apóstol Pablo en el tiempo del ministerio de Jesús. El es conocido por sus encuentros espirituales con el Cristo en esa encarnación.

- Como San Hilarión (290–371 D.C.), él fue el fundador de la monarquía en Palestina. Pasó veinte años en el desierto en preparación para su misión antes de hacer su primer milagro. Mucha gente fue sanada por él de enfermedades y espíritus desconocidos. Su vida estuvo llena de milagros de sanación para todo el mundo que venía a verlo, sus regalos de sanación fueron los de un experto.

Él desarrolló la reputación de un verdadero y gran sanador capaz de llevar almas a una comprensión espiritual y entendimiento de sus problemas. Él también fue capaz de curar al tocar con la mano o con una orden: "Que tu seas completo." Él caminó en la sombra de su "Presencia del YO SOY," siendo humilde ante Díos y sus semejantes. Dió la gloria a Díos por los milagros de sanación hechos a través de él. Al final de su trabajo y su maravillosa vida, el Maestro Hilarión hizo su Ascensión en el año 371 D.C.

## El Templo de la Verdad

En los reinos etéricos sobre la bella Isla de Creta, rodeada por las aguas azules del Mar Mediterráneo, encontrarán el Templo de la Verdad, el enfoque del maestro Hilarión, Chohan del Quinto Rayo y de la Hermandad de la Verdad, el cuál sirve con él en esta agencia particular de la Jerarquía Espiritual.

El templo es muy parecido a los templos de Grecia, con muchas columnas talladas de largas proporciones. Se parece al bello Partenón erigido hace tanto tiempo a la amada Palas Atena, la Diosa de la Verdad, la cual es la patrona cósmica de esta Hermandad. Los hermanos visten con sotanas de blanco puro. Dentro de este retiro existe una de las escuelas más antiguas del planeta, dedicadas al entrenamiento de estudiantes y discípulos en magnetizar la energía Universal. Ellos también enseñan a los estudiantes precisión científica y matemática por la cual soles, planetas y átomos individuales son creados y sostenidos.

Esta Hermandad está designada como la presencia guardián

de aquello en la tierra que dedican sus vidas para promover la causa de la Ciencia en el tratamiento de enfermedades y desequilibrio, en cualquier forma que sea. Si son invitados y bienvenidos, ellos también ayudan a doctores, enfermeras y misionarios con su trabajo.

El Templo de la Verdad juega el papel de anfitrión para los grandes maestros espirituales que durante muchos años han dejado su marca de amor y servicio sobre la Tierra. Este es el templo donde la Verdad desde el corazón de Díos es enfocada en la Tierra para su distribución mundialmente. Aquellos que desean mucho dedicarse a conocer y entender "la verdad" llegan a ser los estudiantes de la Hermandad de Creta.

En ese retiro, un gran salón de audiencias es el lugar donde al Maestro Jesús, junto con los representantes ascendidos, formadores de las grandes religiones que han bendecido el género humano a través de los años, se les da la oportunidad de enseñar a muchas almas. Ellos enseñan a aquellos que han dejado de creer en Díos por causa del desencanto y experiencias amargas con maestros religiosos incompetentes, en los cuales ellos habían puesto su confianza y experimentaron decepción y traición. Estos han perdido su fe y convicción en Díos y la Suprema Inteligencia que gobierna el Universo. Jesús pone su empeño en ese retiro para presentar a estas almas el conocimiento de la "Verdad Universal" para restaurar su fe, esperanza, confianza y creencia en su propia divinidad y la divinidad del Padre/Madre Díos.

## Acerca de Sanación

Casi todos los problemas de salud, no importa que forma tomen, o que nombres les hayan dado, por el establecimiento médico, son causados por una falta de armonía, desequilibrios y asuntos que no se han resuelto, del pasado ó del presente, en el cuerpo emocional. Para poder sanar el cuerpo, primero deben sanar los sentimientos que están profundamente asentados que son los que causan el trastorno. Cuando la armonía en el cuerpo emocional es restaurada, el cuerpo se alineará fácilmente y la sanación que buscan será permanente.

Cuando desean sanarse a sí mismos, o asistir a otros, es importante que primero se conecten con su propia "Presencia del YO SOY" y su "Cuerpo Mental Superior," y "la Presencia del YO SOY" de la persona que desean asistir. Expresen amor y gratitud por su existencia y la de la otra persona, y por las lecciones que las experiencia de la vida les está enseñando a ambos. Luego llamen a la Ley del Perdón para restaurar cualquier infracción de la Ley del Amor y por la negligencia que ha sido desplegada hacia su Esencia Divina.

Comuníquense profundamente con su Fuente Divina, el Gobernador de su corriente de vida que está siempre esperando su reconocimiento para asistirlos. Háblenle como le hablarían a su amigo más cercano. Derramen su amor dentro de todos sus cuerpos, y den gracias a su cuerpo elemental por su asistencia. Llamen a la Ley de Perdón para restablecer la causa y núcleo de su falta de armonía, y llamen los poderes de transmutación de la Llama Violeta con gran amor, intensidad y gratitud.

Para ayudarlos en sanaciones, visualicen la presencia luminosa de Jesús/Sananda, el maestro Hilarión, Madre María, ú otro Maestro Ascendido emitiendo el resplandor de la luz blanca o del color requerido en su campo aúrico. Para energía, usen dorado y rosado; para iluminación, usen amarillos; y para sanar, usen verde esmeralda, rosado ó violeta. Aún cuando el color principal para sanar es verde, todos los colores y todas las llamas tienen maravillosas propiedades sanadoras.

Cuatro Maestras gobiernan las actividades de sanación en la

Tierra. Ellas son: María, la madre de Jesús/Sananda, Nada, la amada alma gemela de Jesús/Sananda, Meta, la hija de Sanat Kumara y Kuan Yin, la Diosa de la Compasión.

## El Cuerpo Elemental

Todo el mundo en forma humana tiene a su servicio un "cuerpo elemental" de gran inteligencia el cual anima y controla el mecanismo de su cuerpo físico. De tiempo en tiempo, llega a ser antagonista hacia la forma que le ha sido asignado cuando hay abuso y no hay amor por el cuerpo, o gratitud hacia el cuerpo elemental por su servicio dedicado y fiel que rinde. El cuerpo elemental con frecuencia es requerido para servir la energía de la misma corriente de vida desde el momento de la primera rencarnación sobre el planeta Tierra hasta que el alma obtiene la Ascensión.

Este cuerpo elemental con frecuencia ha sido obligado por los Lords de Karma a activar y mantener el cuerpo físico al cual ha sido asignado cada vez que el alma toma una encarnación nueva. Es el cuerpo elemental el que asiste el latido del corazón, activa su sistema nervioso y cuida que los órganos y todos los sistemas funcionen adecuadamente. Puede ser reprendido cuando cualquier porción del cuerpo físico deja de funcionar adecuadamente.

La verdad es que dado al mal empleo del libre albedrío, y la falta de maestría y amor sobre las emociones sin control sobre los cuerpos mentales, etéricos y físicos del alma, estas energías crean caos en el cuerpo físico. El cuerpo elemental es entonces forzado a trabajar muy duro para reparar el daño repetitivo, sin que nunca reciba reconocimiento ó gratitud desde el alma que sirve fielmente. De la misma forma que a Uds. les gusta recibir reconocimiento y gratitud por los servicios que han rendido a otros seres humanos, es importante que reconozcan a su cuerpo elemental a diario, mandándole olas de Amor, Luz Dorada e infinita Gratitud. Esta actitud crea una afinidad entre Uds., el cuerpo elemental y su forma física para mayor armonía y mejor salud. Los jerarcas de los cuerpos elementales son el Elohim Hércules y Amazonia del Primer Rayo de la Voluntad de Díos.

Su cuerpo elemental es aproximadamente tres a cuatro pies de altura (un metro de altura), y toman la apariencia de Uds. con sus perfecciones e imperfecciones que han creado. Con frecuencia viste como Uds. y se para en su hombro, y aquellos que pueden ver elementales con frecuencia han visto el cuerpo elemental de cada persona. Su cuerpo elemental anhela lograr poner la perfección divina en sus cuerpos otra vez.

Antes de la caída en la conciencia, el cuerpo elemental de cada humano no conocía imperfecciones y fue entrenado para mantener su cuerpo en salud perfecta, belleza y elegancia. Con el mal empleo de su libre albedrío y la creación de karma, el cuerpo elemental fue forzado a integrar dentro del cuerpo físico las energías de las deudas kármicas que han incurrido a través de la falta de amor, odio a sí mismo, violencia y negligencia en pensamientos, acciones y sentimientos. Les pedimos, amados, que expresen mucha gratitud, profundo amor y compasión por su cuerpo elemental. Su cuerpo elemental también hará su ascensión con Uds. y realmente desea asistirlos completamente en su proceso. Esto quiere decir que se graduará a un nivel más alto de servicio, lo cual todos los cuerpos elementales desean para su evolución.

## Transmisión del Amado Hilarión<br>Maestro de Sanación, Verdad y Ciencia

Es con mucha alegría y deseos que yo les traigo las bendiciones y el amor del Templo de la Verdad a todos aquellos que se conectarán y estudiarán este material. La Hermandad de Creta también se une conmigo para amplificar las energías y formas de pensamientos creadas al Uds. leer y abrir su corazón para recibir las "verdades" contenidas y expresadas en estos textos. Perciban este escrito como una oportunidad para la transformación y una herramienta para la iluminación. ¡Gracias Aurelia por darme la oportunidad de expresarme en tus escritos!

Hemos estado observando a la humanidad durante largo tiempo, y ahora observamos con cuidado cómo nuestras enseñanzas son recibidas por cada uno de vosotros que entra en contacto con ellas y lo que cada uno de Uds. hace con estas "Perlas de Sabiduría y Conocimiento." Hay tantas enseñanzas que han sido dadas a la humanidad en el pasado de varias formas y a través de varios canales, y muy poco ha sido entendido, usado e integrado completamente.

Muchos de Uds. se interesan siempre por la siguiente enseñanza ó el siguiente mensaje de Luz ofrecida y siguen así. Algunos de Uds. leen un libro tras otro, pero su conciencia no obtiene el nivel de aprendizaje espiritual para elevarlos y crecer. Tan pronto como reciben una o varias de estas perlas se sienten exaltados temporalmente; pero rápidamente lo dejan de lado para atender a la siguiente ocupación, o leer el siguiente libro. Con tanta frecuencia que se olvidan en menos de una hora de la sabiduría que les ha llegado a su camino.

Muchos, no todos, continúan sus vidas sin permitir nunca a su conciencia quedarse quieta, o contemplando el tiempo suficiente lo que acaban de leer, o escuchar para integrar la bendición completa y la transformación de la conciencia que cualquier enseñanza de la Luz tiene la intención de crear. Es más, cualquier enseñanza verdadera que Uds. reciben o leen, sí es recibida ligeramente y sin contemplar desde la perspectiva del corazón, y no se le permite que literalmente cree los milagros de Amor que estaba dispuesta a generar dentro de

Uds., se convierte en desorden en sus mentes en lugar de una bendición.

Por ejemplo, SI Uds. leen este material solamente una vez por curiosidad, por leerlo, sin absorber e integrar las "Perlas de Verdad y Sabiduría" que contiene para avanzar en la evolución de su conciencia, Uds. no recibirán el impacto profundo y los regalos que llevan consigo para Uds. Nuestras enseñanzas no son libros de comiquitas, mis queridos; ellos no fueron hechos para simplemente entretenerlos por un momento. Las enseñanzas de la Maestros Ascendidos contienen verdades cósmicas con la intención de sacarlos de la espiritualidad dormida en la cual han estado durante miles de años. Ellas están diseñadas para ayudarlos en la restauración de la conciencia de su divinidad, y la restauración de todos los regalos espirituales que tienen dormidos en los profundos huecos del corazón, y que Uds. han permitido que disminuyan hasta quedarse casi en nada. Todas las enseñanzas están diseñadas para apoyarlos en el logro de su madurez espiritual, para hacerlos "seres ascendidos," capaces de unirse al rango de los inmortales con todos los beneficios que ello conlleva. Ellas están diseñadas para ayudarlos a alcanzar todas las metas para su encarnación.

En mí encarnación, como el Santo Hilarión, no tenía mucha educación humana, y no recibí enseñanzas directas sobre la verdad de mis guías y maestros, ni el privilegio que han tenido Uds. de recibir en los último dos siglos tanta abundancia de enseñanzas. Una gran parte de mi vida la pasé como un ermitaño en el desierto, buscando diariamente, y momento a momento, con un deseo ardiente intenso en mi corazón de reconocer y exteriorizar el Díos dentro de mí, esa maravillosa Llama de Amor que es la Presencia YO SOY viviendo dentro del Sagrado Corazón de cada alma.

Yo invertí alrededor de 20 años contemplando las cualidades de ese Sagrado Corazón, antes de que mis regalos fueran regresados a mí. Y cuando se exteriorizaron fue porque había invertido mucho tiempo contemplando mi verdadera naturaleza como un ser divino que por fin había personificado mi Esencia Divina. Entonces, el Díos dentro de mí, me permitió usar mi nueva maestría y los regalos que encontré para sanar a todos aquellos que vinieron a mí el resto de esa encarnación. Y créanme, ellos vinieron por miles. Yo hice mi gloriosa ascensión en la luz desde esa corriente de vida, justo después de hacer mi transición al otro lado del velo.

Escogí dejar todas las búsquedas materiales en esa vida para buscar "lo único" de verdadero valor para mí. Mi devoción y determinación, mi constancia y mi fe inamovible de que yo iba a obtener la meta de mi encarnación dio el fruto de mi búsqueda y cambió el curso de mi evolución para siempre. Mi Ascensión me fue ofrecida a la conclusión de esa vida, y un tiempo después me ofrecieron el privilegio de sostener la oficina del Chohan de la Llama de Sanación para el planeta.

Este es el precioso mensaje que deseo comunicar a todos Uds. hoy, que para llegar a ser un "Maestro de la Luz" y liberarse de todas sus trabas y limitaciones humanas, requiere que inviertan en el Ser. Una vez que han encontrado la enseñanza ó los libros que les dan la inspiración y las herramientas para hacer su Ascensión, nunca más necesitan buscar más. Deben ocuparse en aplicar la sabiduría del material y la información que ya tienen y forjar su maestría con ello.

Vengan a nosotros a los retiros durante su tiempo de sueño. Yo les prometo que serán muy bien recibidos; será nuestro gran placer enseñarles y asesorarlos en las áreas que tienen que hacer alineamientos, o las debilidades que necesitan conquistar. Estaremos muy felices de llegar a ser parte de su equipo de apoyo en su camino evolutivo. Tenemos una gran cantidad de conocimientos y verdades en varias materias de interés, especialmente en sanación y ciencia, que nos gustaría compartir con Uds. Aquellos que vienen se quedan fascinados con la información y sabiduría que pueden adquirir al frecuentar nuestro retiro.

Todos los Chohans de los Rayos y la Hermandad de Luz trabajan muy unidos con Adama y la Hermandad de Lemuria en Telos. Es más, en los planos internos, ha habido guías y ayudantes de la humanidad durante mucho tiempo. Antes de que muchos de nosotros hiciéramos la Ascensión, fueron los Lemurianos de Telos los que fueron nuestros guías más cercanos y más dedicados, y además nuestros tutores espirituales. Ahora, nosotros nos hemos agregado al equipo y todos trabajamos juntos por la maravillosa y noble causa de elevar a la humanidad dentro de su Ascensión en la Luz junto con la Madre Tierra. Juntos, estamos dedicados y determinados a reinstaurar el regreso de la Vida en la superficie del planeta tal y como era durante la Antigua Gran Era Dorada.

Yo Soy Hilarión, Chohan del Quinto Rayo, sosteniendo mi copa de Amor y Sanándolos. ¿Me la aceptan? ¿Prepararán su corazón y conciencia, diligentemente y con constancia para descubrir al Díos-dentro, la grandiosidad de quienes son y las maravillas que están esperándoles a todos Uds., si se aplican para obtener lo que nosotros hemos obtenido? ¿Están dispuestos a hacer cualquier cosa que sea necesaria para lograr que pase?

**Oración para la Sanación del Quinto Rayo**

# *Invocación a la Llama de Sanación*

Amada Presencia YO SOY, Amados Ángeles de la Llama
de Sanación, Amada Madre María y Arcángel Rafael,
Amado Hilarión Y todos los Seres de luz sirviendo
en el Rayo de Sanación.

Yo ahora vengo delante de tu Llama para pedir sanación
en el nombre de Díos. Yo me paro con mi Presencia de Díos
para ser liberado y sanado de todas las cargas físicas a
través de Tu Sanación de Luz y Amor. Yo también pido
ser sanado de todas las cicatrices etéricas, traumas
mentales y emocionales de esta vida y del pasado.

Llama de Sanación del más puro verde,
¡Bendice mi forma y hazme completo!
Derrama consuelo dentro de mi alma e iluminación para mi mente.
YO SOY la Perfección de Díos manifestada en cuerpo, mente y alma.
YO SOY Luz Sanadora de Díos fluyendo para hacerme completo.
YO SOY la Presencia maestra cargando todos mis cuerpo con Amor.
Amada Presencia de Díos, al yo transformar mi conciencia,
Permite que la perfección del cielo se manifieste en mi vida diaria,
¡Envía tu Rayo de Sanación sobre mi alma!

YO SOY la Presencia de Cristo cargándome
con Tu Sanación de Luz Radiante hasta que
llegue a ser la completa manifestación de esa Luz.
¡Amado YO SOY! ¡Amado YO SOY! ¡Amado YO SOY!

## Discurso de Adama con el Maestro Hilarión

*Adama nos habla acerca de sanación y de Lemuria. Una meditación profunda nos lleva al Gran Templo de Jade en Telos, donde lo que sentimos es increíblemente sanador y refrescante.*

Saludos, mis amigos, este es Adama de Telos. En el momento que somos invitados por contacto para dar nuestras enseñanzas, siempre es un momento de alegría y satisfacción para nosotros. Hoy, nos gustaría discutir una forma nueva de enfocar la sanación y traerles la conciencia de un templo maravilloso de sanación que tenemos en Telos, el Gran Templo de jade. El acceso a este asombroso templo ha estado cerrado a los habitantes de la superficie desde el hundimiento de nuestro continente.

Sin embargo, recientemente, las puertas a este gran templo de sanación han sido re-abiertas para todos los que lo desean visitar. Están invitados a venir aquí en sus cuerpos etéricos para recargar, purificar y aprender acerca de sanación con un nuevo nivel de entendimiento. Esta nueva dispensación es realmente un privilegio de la cual todos Uds. en la superficie pueden beneficiarse durante este tiempo de grandes cambios y sanación para la humanidad y para el planeta.

El Gran Templo de Jade existió físicamente en el tiempo de Lemuria y su enfoque principal ha sido "sanación" en el verdadero sentido de la palabra. Este templo fue erigido primero en el tiempo de Lemuria, y por cientos de miles de años sus energías bendecían las vidas de las personas. Dentro del templo ardía la llama inmortal sin combustible de sanación para el planeta. La Llama inmortal era nutrida por el reino angelical, por el Espíritu Santo y también por el amor de la gente de Lemuria. Las energías de este templo sostenían el balance de la verdadera sanación para el planeta mismo, para sus habitantes y para su Madre Tierra.

Cuando nos dimos cuenta que nuestro continente estaba en peligro y que eventualmente sería destruido, también sabíamos que este templo majestuoso estaría perdido en su expresión física. Nosotros nos esforzamos para construir una réplica física en Telos. Aún cuando la réplica es más pequeña que el templo original, todos los registros de las energías de la "Llama Inmortal de Sanación," desde el tiempo de su creación fueron transferidas a Telos para salvaguardarlas. Aún sigue recogiendo momento hasta este día. Esta sorprendente energía de sanación nunca se perdió para la tierra, aún con la destrucción de nuestro continente. Todas sus energías y tesoros fueron movidos antes de la destrucción de Lemuria.

La planificación para construir la réplica de este templo y la mudanza de sus energías comenzó 500 años antes de que Lemuria se hundiera. Muchas otras réplicas de templos importantes fueron también construidas en Telos de la misma forma. Para poder salvar nuestra cultura y el máximo posible de nuestra gente, tuvimos que planear nuestra estrategia 5,000 años antes del tiempo actual que el cataclismo había sido pronosticado.

***La sanación es en este momento una gran necesidad para todos Uds., y esta es la razón por la cual hemos abierto las puertas del Gran Templo de Jade, para asistir ahora a la humanidad.***

Es una alegría para nosotros invitarlos a que vengan aquí en su cuerpo etérico por la noche, y que reciban una comprensión mucho mayor de la verdadera sanación que la que tienen en el presente. Cuando vienen aquí, tenemos como guías a un gran número de nuestra gente, los cuales están siempre deseosos de tomarlos "bajo sus alas" espiritualmente para asistirlos con la sanación de los traumas profundos y tristezas del pasado y el del presente. Al Uds. sanar su dolor interno y traumas, también sanarán las condiciones difíciles en sus vidas y sus cuerpos físicos.

Los dolores externos y las dificultades son siempre el espejo de dolores internos y miedos. Ellos les reflejan lo que necesita ser sanado y transformado en su conciencia. Podemos asignarles tres consejeros por cada uno de Uds.; ellos los pueden ayudar con cualquier cosa que necesiten para restablecer su unidad. Un consejero se enfoca con Uds. en su cuerpo emocional, otro se enfoca con Uds. en su cuerpo mental y un tercero se enfoca en la sanación de su cuerpo físico, todos en total armonía y sincronización. De esta forma, su sanación llega a ser un proyecto más balanceado, que si se enfocan en un solo aspecto de Uds. mismos sin entender y transformar su programación interna. Saben, cuando un aspecto de Uds. no está en perfecto balance afecta a todos los otros aspectos de su ser.

### *¿Y cómo uno llega al Gran Templo de Jade en su cuerpo etérico?*

¡Con la intención, mis amigos! Lo que Uds. necesitan hacer es establecer su intención de venir a este templo en su meditación o antes de ir a dormir en la noche. Como un ejemplo, pueden decir a su Díos-Ser y sus guías y maestros la siguiente oración. *"Desde el Señor Díos de mi Ser, yo pido ser llevado al Gran Templo Jade en Telos esta noche. Yo ahora pido a mis guías, maestros y ángeles que me lleven ahí mientras mi cuerpo descansa de las actividades del día."* También pueden formular su propia oración de petición. Pongan su intención de que desean venir aquí para recargar, para purificación, para sanación, para consejo ó simplemente para tener comunión e interacción con nosotros.

Nosotros sabemos cómo cuidarlos una vez que lleguen aquí. Básicamente, en su cuerpo de alma superior, Uds. saben cómo llegar aquí.; simplemente confíen que está pasando, aún cuando no tengan una memoria consciente de su experiencia. Su cuerpo etérico se ve casi idéntico a su cuerpo físico excepto que es más perfecto. Se siente físico para Uds. cuando están aquí en su cuerpo etérico. Esto es a lo que se están moviendo para el futuro. Su cuerpo transformado se sentirá también muy físico para Uds., aún cuando será liberado de mucha densidad y la frecuencia estará vibrando a un nivel mucho más alto.

En el proceso de transformación de su conciencia y su cuerpo físico, no pierden nada. Están integrando vibraciones más alta y más sutiles y una luz más grande. Lo único que van a perder es la densidad que no es necesaria. Su cuerpo llegará a ser más refinado, más bello, ilimitado, inmortal y se sentirá tan físico como se siente ahora, excepto que no tendrán limitaciones de ningún tipo. Viajarán con la velocidad del pensamiento y será muy divertido, ¡se los prometo!

### *¿Cuáles son las cosas más apropiadas que pueden solicitar y traer al templo de sanación?*

Básicamente en el planeta la mayoría de la gente tiene problemas físicos de algún tipo y un montón de miedos escondidos los cuales traen muchos retos en su vida diaria. Tienen emociones atrapadas en su subconsciente y su mente consciente que fueron imprimidas en su alma a través de muchas experiencias pasadas, que no fueron simplemente dolorosas, sino con frecuencia muy traumáticas. Estas experiencias fueron las lecciones necesarias para su camino evolutivo.

Todo el mundo tiene una acumulación de trauma emocional en su cuerpo de sentimientos desde miles de encarnaciones. Lo que se necesita ahora es la resolución para aclarar lo último, sanar y la adquisición de una sabiduría más grande por la cual estas experiencias fueron creadas. Cualquier experiencia que no fue aclarada en una vida, continúa repitiendo la misma programación una y otra vez en todas las subsiguientes vidas, hasta que se lleva a cabo una verdadera sanación, sabiduría y comprensión en la profundidad de su alma.

La tristeza, el pesar, el duelo, cada trauma emocional y cualquier cosa que han sentido que no refleja la alegría pura natural, dicha y éxtasis de su ser, indica lo que necesita ser sanado dentro de Uds. Miedos conscientes y subconscientes los están aguantando y necesitan ser aclarados en la conciencia de todo el mundo. Las toxinas mentales que vienen de otras vidas, de abrazar sistemas de creencias erróneos y programaciones distorsionadas, están mostrándose ahora en su conocimiento en una forma u otra para ser aclaradas y sanadas. Sean conscientes y estén atentos a las llamadas de su alma. Una persona puede escoger los hechos más importantes para su sanación en el momento y traer ese hecho al templo para que pueda ser resuelto.

Nuestros guías hablarán con Uds. las lecciones y la sabiduría que necesitan ser entendidas en su conciencia, y qué pasos necesitan dar para que se produzca y se manifieste la sanación permanente y verdadera. Su sanación puede ser muy bien comparada a los que es pelar una cebolla inmensa con cientos de capas, las cuales sanarán una a una hasta completarlas. Entonces, llegan a ser un espejo puro de divinidad y todas las cosas se abrirán para Uds., más allá de sus sueños más fantásticos.

Mucho trabajo, pero no todo, puede ser hecho durante la noche cuando su cuerpo duerme, y puede ser integrado luego en su vida diaria. No necesitan saber de qué se tratan sus miedos y experiencias pasadas. Lo único que necesitan hacer es descargar concientemente estas energías, cualquiera que sean sus nombres. Nuestros guías pueden darle mucho entendimiento sobre sus necesidades particulares de sanación. Como resultado Uds. traen de vuelta esta nueva sabiduría dentro de su subconsciente y empiezan a aplicarlo en su estado despierto. Su meditación con su Presencia Divina resucitará un conocimiento más grande en su conciencia.

***Su trabajo interno es el paso más importante que Uds. desean tomar en este momento para acelerar su evolución y para abrir el camino para su regreso al hogar.***

Nuestros consejeros en el templo les darán, al nivel del alma, una percepción expandida del por qué están experimentando ciertos problemas de salud. Ellos les mostrarán por qué ciertas dificultades persisten en su vida y cómo las han creado, ya sea física, mental ó emocionalmente. Con la asistencia de nuestros consejeros, aprenderán a sanarse a sí mismos todos los dolores y distorsiones impresas en su alma. Antes de que se produzca una sanación completa y permanente deben de ser reconocidas y liberadas las causas emocionales y distorsiones de sus sistemas de creencias. Estas no son soluciones temporales con pequeñas vendas adhesivas, sino sanación permanente.

Sepan que todos los problemas físicos, aún cuando puedan parecer accidentes, siempre tiene sus raíces en los cuerpos emocional y mental. El estrés mental y las enfermedades mentales también tienen sus raíces en las emociones. El cuerpo emocional es el área más importante para empezar su sanación. Los traumas de la destrucción de los continentes de Lemuria y Atlantis, cuando la gente fue separada de sus amados y sus familias en una noche, ha dado nacimiento a mucho miedo, tristeza, pesar y desesperación en las almas de la humanidad y han sido traídos con Uds. vida tras vidas.

Ha llegado el momento de sanar completamente el pasado y abrazar un nuevo paradigma de amor, ilimitación y gracia sin precedentes por su vida y por el planeta. En Telos, somos sus hermanos y hermanas, amigos cercanos del pasado y los amamos a todos con mucho amor. Es nuestra alegría ofrecerles toda la asistencia que nos está permitida en este momento para el propósito de su transformación completa, resurrección y ascensión dentro de los reinos de Amor y Luz.

Saben, su corazón es la gran inteligencia de su alma y es uno con la Mente de Díos. Contiene todas las memorias de todos los aspectos de Uds. desde el principio, y nunca los va a engañar. Su corazón es la parte de Uds. que es buena y que realmente pueden aprender a conocer y confiar otra vez. Uds. han cerrado sus corazones, amados míos, porque su dolor y sus miedos han sido tan grandes. Ha sido una forma de protección para Uds. en el pasado. Les ha servido para su evolución en formas maravillosas, que Uds. entenderán algún día, pero ya no les sirve en este momento.

Muchos de Uds. se están apegando a sus dolores y a sus viejos miedos, simplemente porque les da mucho miedo abrir sus corazones al amor incondicional y dejar ir sus creencias erróneas anticuadas. Tienen miedo que sí abren sus corazones a la vida incondicionalmente recibirán más dolor. Sus viejos miedos y su dolor han llegado a ser tan familiar, que han encontrado un nivel de seguridad y confort en ellos.

**_¿Cómo abrir realmente nuestros corazones y permitir que nuestro cuerpo emocional empiece el proceso de sanar?_**

No hay una receta para todo el mundo. Cada uno es único y tiene diferentes aspectos que sanar. Cada uno de Uds. tiene una composición emocional diferente y su propia forma en el proceso de sanar. Básicamente, empezarán el proceso de moverse en la forma correcta a través de lo que escojan, la intención sostenida, la meditación consciente y activa, y la comunicación diligente cada día con su Ser Superior. Pidan a la parte de Uds. que permanece en integridad divina que les revele lo que necesitan sanar en el momento de ahora y que se lo traigan a su conocimiento consciente.

Empiecen a mostrarle a su Presencia YO SOY, con intención seria, que desean ser completos de nuevo, y que desean integrar todas las partes de Uds. en unidad e integración. Sométanse deseosos a cualquier proceso que sea necesario para recibir esa sanación en completa confianza, fe, amor y rendición. Estén tranquilos, pues recibirán la cooperación completa de su Ser Superior y de todo el reino de luz. Su proceso de sanación entonces comenzará a expresarse en todos los niveles.

Su Ser Superior traerá hacia Uds. los libros que son buenos para leer, las personas con las que tienen que encontrarse y los eventos y las oportunidades vendrán hacia Uds. Si abren su mente y su corazón a su sanación con intención sostenida y diligencia, el proceso fluirá con gracia y suavidad.

Su proceso de sanación continuará progresando al permanecer enfocada su intención. Puede parecer difícil al principio y sin duda, lo es. Véanlo como un viaje de regreso al "Sol" de su Ser y sepan que este proceso está lleno de recompensas y satisfacciones a lo largo del camino. No están solos en este viaje. Sus ángeles, guías, maestros, así como todos nosotros en la Nueva Lemuria, los estamos acompañando con cada paso que dan. Toda la jerarquía espiritual de este planeta, su Madre Tierra y todo el reino de la luz está a sus órdenes para ayudarlos en su sanación.

Al progresar Uds. en su sanación, su cuerpo físico empezará a soltar los dolores y traumas del pasado y Uds. empezarán a rejuvenecer. Empezarán a sentirse con más vida y vibrantes. La humanidad ha estado trabajando entre el 5% y el 10% de su potencial completo como seres divinos. El resto de su ser ha estado ahí siempre en estado dormido. Despiértense y sánense a sí mismos, amados. Al abrir Uds. sus corazones, y dejar ir su dolor, llegarán a tener incrementos de su energía vital. La alegría que sentirán será amplificada muchas veces. Sus facultades mentales se abrirán más y pensarán "ah, bueno, todos nos estamos convirtiendo en genios ahora y la vida es ¡tan alegre!" Ábranse a sí mismo a la gracia de forma muy consciente y permítanse a sí mismos recibir esas energías en todos sus cuerpos diariamente.

### ¿Llegaremos realmente al punto donde dejen de existir los espejos?

Si, mis amigos. Cada vez que trabajan esas cosas en su interior., van más y más profundamente. Están pelando capas y alguna de ellas son muy profundas. Todo el mundo tiene su propio tipo único de capas para pelar, pero hablando en general hay muchas de ellas para trabajar. Cuando piensan que han trabajado las cosas y empiezan a sentirse mejor, y piensan que está terminado, regresa otra vez para ser sanado a un nivel más profundo.

Por esta razón, ahora, la última encarnación para muchos de Uds. parece no tener fin. En esta vida, todo viene a juntarse, no solamente de una ó dos, ó seis encarnaciones, sino también de la totalidad de todas sus encarnaciones en la Tierra. Cada cosa pequeña se manifiesta ahora para ser sanado. Puede que sea peor ahora, pero realmente no es así.

### ¿La toxicidad que encontramos en nuestras vidas diarias puede condicionar nuestro proceso de sanar?

Bueno, si, se agrega a la carga que ya tienen. ¡Déjenme explicarles! Uds. tienen muchos tipos de cuerpos, lo que Uds. llaman varios cuerpos sutiles. También tienen cuatro sistemas de cuerpos principales; el vehículo físico, el cuerpo emocional, el cuerpo mental y el cuerpo etérico. Cada uno de estos tiene un gran número de sub-niveles de cuerpos también. En este momento, solamente vamos a discutir los cuatro cuerpos principales, que cada uno representa 25% de su totalidad. Ellos trabajan juntos; cuando suprimes a uno suprimes a los otros. Cuando sanas uno, traes alivio a los otros también. Cuando ingieren o inhalan substancias químicas tóxicas dentro de su cuerpo, tienen que ser conscientes que hay ciertos tipos de substancias que son relativamente fáciles de eliminar del cuerpo y otras por las cuales el cuerpo no tiene mecanismos de eliminación.

Los químicos y la contaminación del siglo veintiuno, han sido tan incorporados dentro de la comida, el agua, y el abastecimiento de aire, que el cuerpo tiene gran dificultad para eliminarlos. Los niveles tóxicos dentro del cuerpo continúan elevándose. Cuando el cuerpo fue diseñado, estas substancias tóxicas hechas por el hombre no existían. Ellas tienen la tendencia de alojarse en las células, y solamente la aplicación correcta de remedios homeopáticos y vibratorios son capaces de eliminarlos. Hagan lo que puedan para ingerir dentro de sus cuerpos solamente la forma más pura de agua, los tipos de líquidos y comidas más puros. Cuando no se sienten balanceados emocionalmente, su cuerpo físico no se siente bien tampoco. No pueden separar cualquier parte de Uds. sin afectar al todo.

***Lo que me he dado cuenta es que nunca podemos estar completos hasta que nos despertemos y hasta que sanemos cada uno de esos cuerpos.***

Uds. no pueden llegar a ser completos si evitan sanar cualquier parte de su compuesto energético. La sanación verdadera y permanente tiene lugar cuando crean armonía en todos los niveles. Hay gente que está enferma físicamente, vamos a decir con cáncer. Ellos van a gastar, si tienen mucho dinero, una fortuna en obtener sanación física por medio de los métodos del establecimiento médico, como cortar, quemar y envenenar. Los aspectos emocionales lo cuales han causado el cáncer en primer lugar nunca son tomados en cuenta. Es más, mucho más estrés y trauma son agregados al cuerpo emocional que ya está sobrecargado. ¿Qué tipo de sanación permanente puede ser esperada, si estamos negando los aspectos básicos del Ser?

Billones de dólares se gastan cada año en la aplicación de soluciones temporales. Algunas personas pueden experimentar remisión temporal a veces, si, pero lo que ocurre no es una sanación verdadera y permanente. Aún cuando se siente un alivio a corto plazo, si el alma no ha aprendido la nueva sabiduría de la enfermedad, la verdadera sanación no se ha producido.

Si la persona termina muriendo como resultado de los métodos de cortar, quemar y envenenar; la sanación y las lecciones no fueron aprendidas y la raíz de los problemas que se encuentran en el cuerpo emocional se han ignorado. Cualquiera que haya sido la causa emocional del cáncer es la prioridad, si no es reconocida en una vida, será repetida una y otra vez en subsiguiente re-encarnaciones, hasta que se alcance un entendimiento y una sabiduría más profunda.

Su "Presencia YO SOY" requiere que aprendan todas las lecciones de sabiduría y verdad antes de que puedan tener acceso a su libertad total espiritual y el regreso a su integridad.

Los ángeles y muchos otros seres del reino de la luz, que están trabajando con la humanidad, vienen también aquí regularmente para purificarse y recargarse. Ellos no necesitan ningún consejo nuestro. El Gran Templo de Jade sirve como medio de descontaminación para ellos, un lugar en el cual pueden descargar las energías discordantes que han recogido en su contacto con la humanidad de la superficie.

Su Díos-Ser, que es omnisciente, trabaja al nivel de creación. Trabaja muy cercano con los ángeles y maestros ascendidos, con los hermanos de la estrella, y en cooperación con nosotros para su sanación. A nosotros nunca se nos está permitido hacer sanación para Uds. sin el permiso de su Díos-Ser. En todos sus esfuerzos y pasos para sanarse a sí mismos, deben siempre incluir y reconectarse con su "Presencia YO SOY" y establecer su intención para cualquier cosa que desean lograr ó sanar. Algunas veces, hay personas que se ponen furiosas con los maestros ascendidos, ó una presencia angélica cuando sienten que sus pedidos en las oraciones no han sido contestados de acuerdo a sus expectativas. Ellos van negando la fuente absoluta de sus deseos, cerrando sus corazones para su asistencia más adelante.

Este tipo de actitud, amados míos, es común entre la humanidad. Aquellos que se enganchan en ese tipo de pensamientos, se privan a sí mismos de mucha asistencia, gracias y bendiciones para esa encarnación. Lo que Uds. no se dan cuenta es que ningún maestro ascendido ó presencia angélica puede ir más allá del camino de su alma. Su "YO SOY" sabe exactamente lo que necesitan aprender y lograr para cumplir su grupo de metas para esta vida. Cualquier ángel ó maestro ascendido siempre trabajará en cooperación total con su Ser Divino para ayudarles en su "plan más grande" y su último destino. Mientras están en la tercera dimensión, están velados y no ven la perspectiva completa de su encarnación.

Su "YO SOY" es el gobernador y su alma representa la suma total de todas sus experiencias. La Ascensión es el proceso de unificar todo esto en unidad; para Uds. llegar a ser totalmente completos otra vez. Llegar a ser la personificación de su Ser Divino, manifestando la abundancia de su divinidad aquí mismo en la Tierra. La etapa final de la ascensión es el evento más maravilloso que podría pasar a cualquiera en su evolución.

Durante muchas vidas han trabajado hacia esa única meta y en esta vida pueden lograrla completamente. Pueden llegar a ser todo lo que Uds. siempre han deseado ser, porque las puertas de la ascensión están ahora completamente abiertas como nunca antes en millones de años.

Esta es su oportunidad de decir si, a esta gran oportunidad y hacerlo. Las puertas de la Ascensión se cierran y se abren, de acuerdo a varios ciclos de evolución. Puede ser que sea un tiempo largo antes de que se vuelvan a abrir nuevamente tan anchas. Si desean ganar su libertad espiritual en esta vida y experimentar el matrimonio de la alquimia de su alma con el Díos-Ser a través del proceso de su ascensión, no hay mejor tiempo para hacerlo que ahora. Deben escogerlo conscientemente y con intención y desearlo más que ninguna otra cosa. Pero no van a ser forzados para ello.

A Uds. en este momento les están ofreciendo la más grande de todas las oportunidades. Solo quedan unos pocos años antes de la Ascensión de la Tierra. *¿Tomarán nuestras manos para aprender con nosotros, para que podamos ayudarlos en su regreso al hogar? Nosotros ya estamos en el hogar. ¿Vendrán a unirse con nosotros?*

### *Meditación*

## Viaje al Gran Templo de Jade

### *Con Adama y el Maestro Hilarión*

El Gran Templo de Jade es un lugar maravilloso y sagrado donde seres de todas las dimensiones en este planeta y más allá vienen para sanar. Aquellos de los reinos de la luz que están asistiendo directamente a la humanidad vienen a este templo para limpiar y recargar sus energías. Es usado por los seres galácticos también. Este templo "famoso" es popular y muy visitado, y está construido principalmente de la más pura concentración de jade.

Yo les pido ahora que se centren en sí mismos, en su corazón; siéntanse confortables y relajados; y empiecen a integrar y recibir las energías sanadoras. Ahora están invitados a venir con nosotros en un viaje en conciencia a Telos para experimentar el Gran Templo de Jade debajo de Mount Shasta. Están viajando aquí en su cuerpo etérico. Continúen centrándose en su corazón y expresen su intención a sus guías para que los lleven a Telos en conciencia, al portal del Gran Templo de Jade y ellos lo harán. Todos sus guías están familiarizados con este lugar y ellos saben exactamente cómo llevarlos hasta allí. Hay muchos de nosotros allí esperándolos.

Traigan su cuerpo en un estado de relajación y respiren bien profundo al enfocar su intención de ser llevados al Gran Templo de Jade. Ahora, véanse a sí mismos allí en conciencia. Véanse llegando al portal de este gran templo, el cual está formado por una pirámide de cuatro lados hecha de la más pura y la más alta calidad de piedras de jade. El sacerdote principal y también guardián de este templo, les da la bienvenida. El piso es de cerámica compuesta de jade y oro puro. Fuentes de luces doradas verdes luminosas bañan su esencia aproximadamente 30 pies *(9 metros)* en el aire desde varias áreas, creando un efecto muy místico.

Sientan que están allí y miren cualquier cosa que les enseñan. Sientan el aire que están ahora respirando en el templo, y sientan la energía fortalecedora creada por todas las fuentes de energía pura sanadora impregnando el aire en todas partes. ¡Cuán refrescante y rejuvenecedora es para todo su cuerpo! Aún cuando están ahí en su cuerpo etérico, traerán de regreso algo de esta vibración a su cuerpo físico. Esa es la razón por la cual es tan importante que respiren profundamente, llevando hacia dentro todo lo que puedan de esa energía sanadora.

Flores de todas las formas, tonos y colores junto con una larga variedad de plantas verde esmeralda están creciendo en cajas largas de jade, creando un ambiente muy mágico. Contemplen esta belleza única y sientan lo sagrado de sus alrededores. Permítanse sentir la pureza de las energías de ese ambiente. El Sacerdote Principal le asigna a cada uno de Uds. un miembro de nuestra comunidad que será su guía específico y asistente para su viaje aquí.

Al entrar al templo con su guía ven una piedra bien larga hecha de puro jade, en forma ovalada, de unos 10 pies en diámetro y 18 pies de altura *(3 metros de diámetro y 5.5 metros de altura)*. Esta piedra tiene la vibración sanadora más pura y más alta. Encima de la piedra ven un cáliz de oro y jade redondo. Tiene una base plana y sus lados son de 2 pies de altura *(60 cms de altura)*. Está sosteniendo la Llama sin combustible verde esmeralda de Sanación, que ha estado ardiendo perpetuamente por millones de años para asistir a los habitantes de la Tierra.

Ahora sientan esta llama profundamente en su alma, en su corazón y en su cuerpo emocional. Si, también pueden traer su cuerpo emocional allí. Esta fabulosa llama arde perpetuamente y mantiene una matriz mayor de energía sanadora para el planeta. Esta llama tiene conciencia, mis amigos. Es alimentada eternamente por el amor del Espíritu Santo, el reino angélico y nuestro amor. Al Uds. acercarse a la piedra de Jade, están invitados por el Guardián de la Llama de Sanación a sentarse en una silla hecha de puro jade para contemplar ¿qué hay en sus vidas que necesita más sanación? ¿Cuáles son los cambios en su conciencia que están dispuestos a hacer para atraer esa sanación?

Mientras en meditación están recibiendo guía telepática y

asistencia de sus guías, esta guía queda impresa en su corazón y su alma. Ahora, haremos una pausa por un momento y les permitiremos tener esta interacción con sus guías y con su ser superior para su sanación. *(Pausa)* Vean y sientan las joyas, los cristales y las energías sanadoras del templo y respírenlas dentro de Uds. Respiren esta energía sanadora lo más profundo que puedan; Uds. van a llevar esta energía de regreso dentro de su cuerpo físico. Continúen respirándola, Uds. están en el lugar más sagrado de sanación vibrante del planeta. Tomen todo el tiempo que necesiten.

Cuando terminen, levántense de su silla y caminen alrededor del templo con su guía. Miren la belleza y las energías sanadoras. Siéntanse en libertad de comunicarle a él/ella, los pesares de su corazón y pida más ayuda para su sanación. Estén abiertos para cualquier cosa que pueda ser revelada a Uds. Si no recuerdan su viaje conscientemente, no se preocupen. La mayoría de Uds. están recibiendo la información en otros niveles.

Cuando se sientan completos, regresen de nuevo a su conciencia en su cuerpo y tomen varias respiraciones profundas. Sepan que pueden regresar allí, en cualquier momento que deseen. Cada vez, serán asistidos de la misma forma. Y cada vez que vengan, estarán creando una relación más profunda con nosotros.

Ahora concluimos esta meditación enviándoles amor, paz y sanación. Estamos sosteniendo nuestras manos hacia Uds. en asistencia, amor y guía. Estamos tan cerca como un pensamiento y un susurro, o una petición desde su corazón. ¡Y que así sea!

# Capítulo Seis

## El Sexto Rayo:

## La Llama de la Resurrección

**Cualidades principales de Díos y acciones del Sexto Rayo:**
Ministerio del Amor de Cristo, servicio sin egoísmo a Díos y al género humano, devoción a nuestros semejantes, adoración espiritual a través de la devoción y sentimientos reverentes.

Chakra correspondiente: El Plexos Solar
Color: Anaranjado y Oro
Piedra Correspondiente: Citrino, Pirita, Calcita Dorada

**Chohans del Sexto Rayo:**
Lord Sananda y Lady Nada *(conocidos en su última re-encarnación como Jesús y María Magdalena)*.
Sus Retiros: El Templo de Resurrección cerca de Jerusalén,
Un Retiro en Arabia Saudita, al Noreste del Mar Rojo,
un lugar de reunión donde varios consejos de Luz,
De la Gran Hermandad Blanca se reúnen con frecuencia.

**Arcángeles del Sexto Rayo con su Complemento Divino:**
Uriel y Aurora
Su Retiro; Las Montañas de Tatra, Polonia

**Elohim del Sexto Rayo con su Complemento Divino:**
Paz y Aloha
Su Retiro: Islas Hawaianas

*Lord Sananda*

*Lady Nada, Diosa del Amor*

## Acerca de Lady Nada y Lord Sananda

Anteriormente en su última encarnación como Jesús y María Magdalena, Nada y Sananda, ambos trabajaron juntos para asistir a la Tierra y la evolución de la humanidad hacia la Ascensión a través del camino del amor incondicional del Sexto Rayo de servicio y ministerio del Amor de Cristo.

La Maestra Ascendida Lady Nada es la Chohan del Sexto Rayo junto con su amado y alma gemela Lord Sananda. Juntos, personifican el Rayo Anaranjado y Oro de la paz, servicio, ministerio y verdadera hermandad. Ella sostiene las energías del Amor Divino para la humanidad junto con Lord Sananda y trabaja muy unida a él. Es también conocida como la Diosa del Amor.

Lady Nada supervisa un retiro, el cual está situado en el reino etérico arriba del Lago Titicaca en la frontera entre Bolivia y Perú. Las Maestras Ascendidas María *(conocida como Madre María)*, Kuan Yin, Pallas Athena, Lady Venus y Lady Portia *(Alma Gemela de Saint Germain)* están todas trabajando juntas en ese retiro. Desde este lugar en Bolivia, ellas distribuyen energía femenina poderosa a nuestro planeta para poder balancear las distorsiones que todavía existen entre las energías masculina y femenina. Hay un fuerte énfasis, en el momento presente, de restaurar el balance entre las polaridades del femenino y el masculino dentro de nosotros, dentro de nuestras relaciones y en el mundo.

Muchas de estas Maestras femeninas están trabajando para ayudarnos con este trabajo tan vital e imperativo para la Ascensión de la humanidad. A menos que la humanidad empiece a manifestar más balance entre las expresiones de poder masculino y femenino en el mundo, no nos será fácil experimentar los cambios en conciencia los cuales deben toma lugar antes del período 2010-2012. La tan esperada Edad Dorada solamente puede ser manifestada cuando el balance entre las polaridades del masculino y femenino lleguen a ser una realidad en el planeta.

Lady Nada es tutora de los candidatos para la Ascensión para la maestría de las cualidades de Díos en la chakra del plexo solar y los prepara para recibir los regalos del Espíritu Santo. Nada es también mensajera para el Dios y la Diosa Meru, los Manus de la cuarta raíz de la raza, cuyo retiro y Templo de Iluminación está situado en el Lago Titicaca en Sur América.

Lady Nada tiene cierta autoridad cósmica para la edad que se acerca; la sanación es uno de los servicios que ella tiene para el género humano, así como también el uso de la Llama Rosada. Su símbolo es una rosa rosada. Nada es también un miembro del Concejo Kármico, un grupo de ocho maestros ascendidos y seres cósmicos que dispensan justicia a este sistema de mundos, adjudicando karma y piedad en beneficio de cada alma.

A través de estos dos cargos en la Gran Hermandad Blanca *(Chohan del Sexto Rayo y miembro del Consejo de Karma)*, Nada enseña el camino de la Cristiandad personal por medio de la expresión de amor a través del ministerio y el servicio a la vida. Ella asiste ministros, misioneros, sanadores, psicólogos y consejeros de la ley. Ella representa el Tercer Rayo en su posición con el Consejo Kármico. El retiro de la Maestra Lady Nada está localizado sobre Arabia Saudita donde ella trabaja con su amado Lord Sananda.

## Lord Sananda
## El Iniciador de la Dispensación Cristiana

Lord Sananda representa el Amor Divino y los Altos Reinos del Espíritu. El es el símbolo de la Cristiandad para la dispensación Cristiana. El representa el proceso de la Ascensión para el alzamiento de la Humanidad de regreso a la Divinidad. En su papel primario, él sostiene el cargo de "Maestro del Mundo" junto con el maestro Kuthumi. El Maestro Jesús/Sananda tiene la tarea de purificar las enseñanzas distorsionadas iniciadas por los miedos de los primeros padres de las Iglesias Cristianas y de remover los dogmas y doctrinas hechas por los hombres las cuales han corrompido la pureza de Sus enseñanzas, casi desde el principio, hace 2.000 años.

Sin importar cuál sea su creencia religiosa, pueden llamar a Lord Sananda para que les ayude en cualquier área de su vida. El continúa estando presente en conciencia con todos nosotros personal y colectivamente. Como el Jerarca de la Dispensación de Piscis de los últimos 2.000 años, él ahora trabaja junto al Maestro Saint Germain, el Jerarca de la Edad de Acuario en estos próximos 2.000 años. Juntos, forman un gran equipo compartiendo las mismas metas.

Puede que crean que Jesús/Sananda es el único Hijo de Díos, ó que lo consideren un Maestro Ascendido que vino a la Tierra como un maestro Mundial y Sanador, no importa lo que crean siempre podrán llamarlo para que les ayude. Realmente él vino a la Tierra para crear una nueva filosofía que eventualmente unirá al género humano con la Fuente de su Divinidad. Durante su vida como Yeshua Ben Joseph *(Jesús),* el no abogaba por una nueva religión, solo quiso enseñarnos a vivir desde el Corazón y abrazar la divinidad propia de uno.

Desafortunadamente, las Iglesias Cristianas han distorsionado la mayoría de Sus intenciones originales de enseñarnos las formas simples de abrazar nuestra propia Cristiandad. La intención de Lord Sananda era que el Amor de Díos y la Sabiduría fueran enseñadas de una forma que pudiera ser comprensible para que todos pudieran entenderlo e integrarlo. Sus enseñanzas fueron destinadas para todo el mundo, no solamente para aquellos que se consideran a sí mismo más educados y se nombran a sí mismos como autoridades, deseando controlar y engañar a la humanidad con doctrinas falsas.

Lord Sananda está ahora más presente que nunca enseñando a la humanidad los verdaderos conceptos de la conciencia Crística la cual es manifestada en su esplendor total en Telos y en todas las Ciudades de Luz. Ha llegado el momento de cuestionar seriamente las enseñanzas obsoletas de las Iglesias Cristianas y buscar la Verdad real. En verdad no es de gran ayuda para el alma depender para su propia salvación de las versiones viejas y fuera de tiempo, de una espiritualidad caduca, que ha sido enseñada por las primeras iglesias cristianas, enseñanzas que además de caducas, están incompletas. Ahora debemos entender y aplicar en nuestras vidas diarias las verdaderas enseñanzas dadas a nosotros por los maestros mundiales formadores que vinieron a asistir a la humanidad a evolucionar su conciencia al nivel de la conciencia Crística.

Sananda trabaja estrechamente con la Hermandad Lemuriana de Luz en Telos, con Adama y la jerarquía espiritual planetaria para hacer resurgir las verdaderas enseñanzas de la conciencia de Cristo iniciadas por él hace 2.000 años.

## Encarnaciones de Lord Sananda

Sananda me dijo que él tuvo muchas encarnaciones en el continente de Lemuria, pero no fue específico. Este gran maestro ha tenido numerosas encarnaciones en este planeta antes de su encarnación como Yeshua Ben Joseph, algunas de ellas son:

- El Rey David del Viejo Testamento. En esa vida, él trabajó muy cercano con el profeta Samuel, el cual es una de las encarnaciones de nuestro amado Saint Germain.

- José de Egipto, hijo de Jacobo en el Viejo Testamento,

tiene uno de los más interesantes paralelos con la vida de Jesús. En el Judaísmo, se pensó que el Mesías era como el hijo de José así como también el hijo de David.

- Josué, el que guió a los Israelitas dentro de la Tierra Prometida en el Viejo Testamento.

- En su última encarnación, él se personificó como Jesús. Su nombre real fue Yeshua Ben Joseph. Este gran maestro vino a enseñarnos que tenemos el poder para crear, sanar y llegar a ser el Cristo como él lo demostró. El dijo, "Estas y cosas más grandes que estas Uds. pueden hacer." (John 14:12) El demostró el poder de Díos a través de Sus sanaciones, Su crucifixión y Su resurrección. En esa vida, él fue vigilado por Lord Maitreya, el Cristo planetario, a quién él llamaba "Su Padre," y realmente Maitreya fue su "Padre" espiritual y el gran patrocinador de su noble misión.

## Encarnaciones de Lady Nada

- En Atlantis, Nada sirvió como sacerdotisa en el Templo del Amor. La hermandad de ese templo dirigía la sanación a través del amor usando la luz de los rayos para aquellos que lo requerían y podían recibirlos en cualquier parte de la Tierra. Ese templo fue hecho en el patrón de una rosa, siendo cada pétalo una sala. En el día de hoy todavía existe en el plano etérico.

- Lady Nada fue también una sacerdotisa de alto nivel en los Templos de Isis y recibió su entrenamiento en la maestría a través de varias encarnaciones previas desde esa "escuela de misterio" altamente evolucionada. Estas escuelas de misterios no existen más hoy en día; ellas serán restauradas muy probablemente en la nueva energía, después de la Ascensión de la Tierra dentro de la quinta dimensión.

- Como María Magdalena, ella encarnó con su amada alma gemela, Jesús, en su misión como "la personificación de Cristo." Ella vino a ser su amada compañera para apoyar completamente su misión. Sananda me dijo que el episodio en la Biblia de las bodas de Canaán es la verdadera historia de su matrimonio oficial con María Magdalena.

Es muy importante que esta Verdad sea revelada ahora, que María Magdalena fue una alta iniciada y sacerdotisa del Fuego Sagrado durante su vida con Jesús. Ella tenía un grado muy alto que había obtenido en su evolución. Junto con la Madre María, ella estuvo con El para sostener las energías del Femenino Divino para su beneficio durante su ministerio en la tierra de Galilea y en su crucifixión. Ella NO fue "la pecadora y prostituta" tal como es representada por los escolares de las primeras Iglesias. Esta negación del femenino divino es una de las grandes mentiras que han sido impuestas e imprimidas injustamente en la conciencia de la humanidad en los últimos 2.000 años.

Ella fue injustamente discriminada por los primeros "padres de la Iglesia" en sus intentos de subyugar, una vez más, las energías del femenino divino para las generaciones venideras. Ellos buscaron mantener el control sobre lo que ellos temían más, las energías de "la Madre Divina," que María Magdalena representaba en aquel tiempo, junto con la Madre María, la madre de Jesús. Ambas fueron iniciadas a un alto nivel en los Templos de Isis y tenían el conocimiento requerido para sostener esa energía mientras Jesús estaba desempeñando su Sagrada Misión. Ha llegado el momento para la humanidad de abrir sus corazones a las energías amorosas de María Magdalena, viéndola como la verdad de quién es ella y olvidando las mentiras maliciosas inventadas en su contra.

## Retiro de los Maestros del Sexto Rayo

En el lejano Oriente, brillando en los éteres pulsantes sobre la Tierra Sagrada, se levanta el Templo de la Resurrección, cuya llama inmortal de restauración y resurrección está guardada y protegida por los bellos Maestros Ascendidos Lord Sananda, Lady Nada y la Madre María.

Este templo está creado de una sustancia la cual parece "nácar." Tiene un diseño circular. Los patios, como corredores en grandes cilindros, circulan alrededor del Cuarto Central de la Llama donde está el enfoque del corazón del Fuego Sagrado de la Resurrección. Está compuesto de siete corredores circulares alrededor del altar central donde la Llama de la Resurrección, sin combustible, arde perpetuamente radiando su poder resucitador, animado, elevado y dador de vida. Hermosos seres de la Hermandad de la Llama de la Resurrección amplifican su poder en cada uno de los corredores.

Los visitantes al Templo de la Resurrección entran a los corredores cuando la radiación de su llama tiene una afinidad igual a la de ellos, y a su potencial para la expresión de la divinidad. Aquí, el visitante es cargado con renovada esperanza y vitalidad espiritual; ellos están conscientemente informados de la verdad de "la vida eterna" y de los potenciales milagrosos que la Llama de la Resurrección puede generar dentro de aquellos que la invocan. El propósito de este enfoque es continuar derramando dentro de todos los niveles de la conciencia humana, emocional, mental, física y etérica, y a todas las evoluciones que pertenecen a este planeta, la realidad de los poderes de la Llama de la Resurrección.

El género humano, en su mayoría, ha aceptado la resurrección de Jesús como un "milagro" solamente posible para él y no se han beneficiado del uso de esa llama milagrosa para restaurar sus propios cuerpos a la perfección. Más bien, se han sometido a las enfermedades, desintegración, descomposición y finalmente lo que llaman "muerte" como un proceso natural de la Vida. Sin embargo, para mantener vivo el sentimiento del poder de la resurrección en la conciencia del género humano no ascendido, el amado Jesús/Sananda, Nada y la Madre María continuamente envían dentro de la atmósfera de la Tierra esa victoriosa radiación desde este templo.

Esta Llama de la Resurrección es la esperanza de redención para toda la raza humana, acelerando la acción vibratoria de la luz dentro de las células del cuerpo y permitiendo a la luz interna soltar la apariencia de limitación. La sustancia de la Llama de la Resurrección fluye a través de los cuerpos internos de aquellos que la invocan, así como también a través del cuerpo físico.

## Mensaje de Amor de Lord Sananda Junto con Lady Nada

Saludos, mis amados, Yo Soy Lord Sananda y he venido acompañado por mi amada Nada. Es realmente una gran alegría y un honor para nosotros que nos hayan dado esta oportunidad de saludarlos a todos Uds. que están leyendo este material que cambiará sus vidas y conectarnos con Uds. en una forma muy personal. Deseamos hablarles a sus corazones y almas sobre nuestro tema favorito, los tópicos del Amor al Ser y de los poderes de la Llama de la Resurrección, cuya protección nos ha sido confiada como nuestro servicio a la Vida.

Algunos de Uds. leen muchos libros, con la esperanza de encontrar las llaves mágicas que crearán dentro de su alma la apertura para asistirlos a su regreso de nuevo al hogar y a las dimensiones del Amor y Luz que una vez conocieron. Muchos están anhelando encontrarse y trabajar con nosotros otra vez, cara a cara y vivir la "vida real" más allá de los grilletes humanos de la ilusión de separación.

Sepan, mis amados, todo lo que siempre han querido y soñado está esperando su permiso y reconocimiento para que les sean otorgados. Todos los regalos maravillosos, el ser ilimitado y las facultades divinas que son de la "Presencia Yo Soy," están simplemente desbordando con el deseo de ser activados y restaurados dentro de Uds. En verdad, no hay nada fuera de Uds. que puedan adquirir que satisfaga permanentemente sus más profundos anhelos, por lo menos, no por mucho tiempo.

Pero, mis queridos, tienen que pedir y permitirse a sí mismos recibir. Dense algún tiempo cada día para contemplar y enfocar en el objeto de sus deseos. Todos saben esto, pero muy pocos se toman el tiempo para aplicar lo que han leído en los libros. Uds. son Creadores y tienen que crear lo que desean con el amor de su corazón, su intención y su enfoque. Simplemente no sucede por sí mismo, sin su enfoque, sin que pidan, sin que pongan su intención y sin activar el sentimiento de gratitud por recibir los frutos de su creación.

Ahora, con el espacio limitado que nos han dado en este libro, haremos lo posible para darles el máximo de información. Pero, hay mucho más que desearíamos compartir. Así, que los alentamos para que vengan a nuestro retiro en la noche, el Templo de la Resurrección cerca de Jerusalén, para compartir con nosotros personalmente, para sentir nuestros corazones y recibir lo que no está en este libro, de una forma más directa. Es un gran placer y a la vez un servicio mostrarles el paso siguiente y el siguiente, para ayudarlos a obtener su maestría. Esta es una invitación, amados.

Es tan importante que empiecen a enfocarse en conocerse y amarse a sí mismos. ¿Cómo pueden esperar crear una Unión

Divina con su "Yo Soy" a través de la Ascensión si no están dedicados a realmente conocer esa parte de Uds., a la que desean unirse? Empezar a conocer el Ser es Amarlo; no puede ser de otra manera. Esto es exactamente lo que les liberará de todas las cargas, tristezas y limitaciones. "Conociendo y amando su ser más íntimo, les traerá todo lo que siempre habían anhelado y deseado." Por lo tanto, la declaración "Conócete a Ti Mismo" es la más maravillosa y profunda declaración que existe en su lenguaje.

***Deseamos darles algunas explicaciones acerca del trabajo interno de la "Presencia Yo Soy" para que puedan tener una comprensión mayor de cómo tener acceso a El.***

En la tercera dimensión, Uds. han tenido muchas aventuras y experiencias de separación. Han coleccionado dudas, miedos, confusión, entendimiento erróneo, y no siempre saben que selección hacer ó cuando hacerlas. Siempre hay un lugar en su conciencia donde tienen dudas de sí mismos y el no saber sobre muchas cosas en su vida. Con frecuencia se encuentran en un cuerpo físico, en un plano de existencia que es difícil de desarrollar sin un plan, sin dirección o instrucción.

Para la mayoría de Uds., ni siquiera tienen un plan "A", ni mucho menos un plan "B". **Estar en el ahora es ciertamente un buen plan, especialmente si no están completamente conscientes.** Uds. han notado últimamente que están más y más en el momento de ahora con cualquier cosa que están haciendo. Cuando viven en el presente aquí y ahora, entran dentro de la conciencia del Díos "Yo Soy" dentro de Uds. Es esa parte de Uds. el cual sostiene la agenda de su plan divino para toda la eternidad y también para esta vida. Cuando hacen planes desde la mente ó el ego, encuentran que no siempre trabaja, y que no siempre pueden seguirlo hasta el final.

Nosotros les vamos a revelar algo que ha sido un misterio para

Uds., para que puedan abrazar el gran misterio que Uds. son. Primero, les diremos que la "Presencia del Yo Soy" es una resonancia y una vibración "dentro de Uds.," desde dentro de su corazón y su alma. Lo sentirán muy poderoso alrededor del área del corazón y la garganta. También sentirán moviéndose todos los chakras a la vez, cuando está activado y abierto.

Lo que activa la "Presencia Yo Soy" es la intención. Cuando usan su poder y sus deseos para hacer una llamada, sencilla y claramente, el "Yo Soy" está involucrado. Cuando no hay dudas, miedos ó indecisiones acerca de la selección, no hay problemas que puedan obstruir la llamada que han hecho y esta se realiza de una forma completamente clara. Cuando escogen en total claridad, y no hay separación, el "Yo Soy" está activado y completamente libre para expresarse.

La verdad es que tienen que trabajar muy pocos problemas para acceder a su maestría. ¿No es interesante? ¡Qué tal si les decimos que pueden contar esos problemas con los dedos de una mano! La Mayoría de Uds. creen que van a lograr la maestría y la Ascensión en esta vida. Uds. no saben todavía cómo, no saben todavía todos los pasos y no serán informados porque los pasos para la maestría son milagros que son revelados en los momentos precisos y están diseñados para acelerar su progreso. Estos siempre van a ser momentos de sorpresas maravillosas y expansión. Están diseñados para ser "secretos" hasta el momento de la revelación. ¿Quienes son Uds.? no sólo son Díos representado "siendo," sino también son Uds. como un Creador.

***El siendo y creando van mano a mano.***
***Sean audaces y empiecen a atraer todos sus sueños;***
***¡Ha llegado el momento de hacerlos realidad!***

Ahora vamos a hablar del poder de la Resurrección, lo cual

significa traer de nuevo ó restaurar a una condición normal. Este entendimiento trae el conocimiento fuera de lo milagroso a una ley de trabajo, con la cual aquellos que la usen pueden ser restaurados a su integridad. Siendo testigos de las acciones de la Llama de Resurrección a través de los cuerpos de aquellos que han sido resucitados de la muerte, o aquellos en condiciones físicas extremas, y vemos que la muerte le da el paso a la vida, que es la condición normal para cada alma.

Si un bulbo durmiente, durmiendo en la tierra a través del largo invierno, debajo de la nieve y el hielo puede ser despertado a la vida por la Llama de la Resurrección cada primavera y dirigir sus tallos y flores a través de la tierra, dando belleza y fragancia, esto debe ser un gran ejemplo y esperanza para todos. Si un simple bulbo puede exteriorizar su concepto inmaculado a través de la Llama de la Resurrección, así también Uds. pueden exteriorizar su maestría. Es más, pueden hacer esto de una forma mucho más grande, si solamente pasaran tiempo invocándola diariamente en su vida, para sus proyectos, para sus jardines y para todo lo que desean crear y resucitar.

El principio es el mismo para el bulbo como lo es para cada uno de Uds. en su vida. Cada año alrededor de Pascuas, la Llama de la Resurrección es amplificada en una medida más grande por aproximadamente 40 días para crear los milagros de la primavera para la naturaleza, para los humanos y para toda la vida en el planeta. La Llama de la Resurrección está también disponible el resto del año para todo el mundo, para usarla e invocarla. **¡No tiene límites y es gratis para el que la pide!** ¿Qué mejor trato pueden conseguir en el Internet? ¿Alguna vez han contemplado que hace que toda la naturaleza se levante de repente para un nuevo ciclo de ser en la primavera? Por supuesto, es esta ¡maravillosa llama dorada!

Tomen ahora un momento para permitirse sentir la Llama de

la Resurrección estallando dentro de Uds. Invóquenla completamente hasta que puedan sentirla. La simple afirmación, "Yo Soy la Resurrección y la Vida" me fue dada por uno de mis mentores, el Gran Director Divino, en mi última encarnación, antes de comenzar mi vida pública en la tierra de Galilea. Esta fue tal llave para mi y yo me sentí muy agradecido por el regalo de esta afirmación. Con esta oración simple, yo pude erigir el momento de la Llama de la Resurrección en mis cuerpos internos con tal alcance, que este mismo momento me permitió resucitar mi cuerpo después de la crucifixión.

Díganlo ahora en voz alta ó en silencio en su corazón tres veces. Ahora sientan la corriente de esperanza viva dentro de Uds., porque dentro de su corazón saben que hay la semilla del plan divino y el destino esperando estallar hacia afuera, y exteriorizarse a si mismos, para que paso a paso lleguen a ser un Ser Crístico. Esta semilla en Uds. es, mucho más poderosa que el grano pequeñito que se encuentra dentro del patrón del azafrán ó la violeta en su comienzo.

Yo soy Sananda, junto con Nada, los bendecimos y les mandamos nuestra Llama Eterna del Amor Cósmico. Acepten de nosotros el regalo de la Llama de la Resurrección y utilícenla para descubrir sus ¡maravillosos poderes que producen milagros!

## Oración para la Sanación del Sexto Rayo

### *Invocación a la Llama de la Resurrección*

Yo Soy la Resurrección y la Vida
de mi Libertad Eterna en la Luz

Yo Soy la Resurrección y la vida
del plan perfecto de mi cuerpo físico

Yo Soy la Resurrección y la vida
del plan perfecto de mi cuerpo emocional

Yo Soy la Resurrección y la Vida
del plan perfecto de mi cuerpo mental

Yo Soy la Resurrección y la Vida
del plan perfecto de mi cuerpo etérico

Yo Soy la Resurrección y la Vida
del plan perfecto de mi cuerpo espiritual

Yo Soy la Resurrección y la vida
de la Pureza y el Amor de los Maestros Ascendidos

Yo Soy la Resurrección y la Vida
de los poderes sanadores de las Llamas Sagradas

Yo Soy la Resurrección y la Vida
de mi Perfección Inmortal y
el Amor Iluminado del Cristo Cósmico

Yo Soy la Resurrección y la vida
de los poderes del Sagrado Fuego dentro de mi,
restaurando todos los regalos maravillosos de mi Esencia Divina.

## Discurso de Adama con Jesús/Sananda y Lady Nada

*Grupo - ¿Qué es lo que Adama está planeando para nosotros esta noche?*

*Aurelia - Yo tuve una charla con Adama esta tarde, ya que yo no tenía ninguna idea de lo qué íbamos a hablar esta noche. Adama le gustaría hablar acerca de la Llama de la Resurrección y sus atributos sanadores. Esta maravillosa Llama ¿no es muy conocida por la mayoría de las personas en esta dimensión, ni aún para aquellos que han oído hablar de ella. Con frecuencia no saben cómo usarla. La Llama de la Resurrección es una de las siete Llamas mayores de Díos que ha estado disponible para las personas en este planeta desde el principio de los tiempos. Tiene una acción propia, pero también lleva otro aspecto de sanación.*

*El mundo entero está en necesidad desesperada de muchos tipos y niveles de sanación en este momento. La palabra sanación tiene un significado amplio, incluyendo muchos aspectos y muchos niveles. Antes de que podamos estar completos y expresar la plenitud de la Luz del "Yo Soy" otra vez, tenemos que sanar todos los aspectos de nosotros a niveles más profundos hasta completarlos. La gente oye acerca de sanación en tantas formas en la tercera dimensión, pero la verdadera sanación es poco entendida. Es más, para poder entender la verdadera sanación, sería sabio aprender acerca de los atributos de las siete Llamas mayores de Díos que están constantemente inundando este planeta para nutrir y sostener la vida.*

*El entendimiento que a Adama le gustaría transmitir esta noche es acerca de sanación a un nivel más alto, verdadera sanación, no solamente una solución temporal la cual tienen luego que resolver más tarde. La Llama de la Resurrección es una herramienta extraordinaria entre otras, gratis, fácil de usar y muy efectiva.*

*Desafortunadamente, no es usada por la mayoría de las personas porque el conocimiento ha sido olvidado.*

*La vibración del verde esmeralda del Quinto Rayo de Sanación y las energías del Gran Templo de Jade son una herramienta, pero hay muchas otras herramientas fabulosas. Mientras más consciente llegamos a ser de estas herramientas, y mientras más las usamos, más podremos transformar nuestras vidas con suavidad y gracia. Adama desea darles un entendimiento más grande de la Llama de la Resurrección, discutir electrones y cómo podemos elevar nuestra conciencia usando estas herramientas.*

*Hay siete días en la semana, siete notas en la escala musical, siete chakras principales, siete glándulas endocrinas principales y siete órganos y sistemas principales en el cuerpo, etc. La lista es bien larga. ¿Se dan cuenta? Cada uno de esos Rayos representa una vibración de color específico y está conectada con uno de los nombres que acabo de mencionar. Por ejemplo, cada día de la semana es amplificado con las energías de uno de los Rayos con la vibración del color correspondiente. Cada nota en la octava musical representa un color específico y una energía del Rayo. Cada una de las siete glándulas y de los siente órganos principales en su cuerpo está conectado con una de las siete chakras principales, la cual entonces es conectada a una de las Siete Llamas. La Llama de la Resurrección es algo que pueden usar a través de la eternidad y siempre se pueden beneficiar de ella. Ahora voy a traer a Adama.*

*Adama* - Saludos mis queridos amigos, este es su amigo y mentor Adama. Es un placer para mí y mi equipo estar con Uds. una vez más hoy para presentarles las perlas de sabiduría y conocimiento para aquellos que desean expandir su conocimiento y entendimiento de los maravillosos atributos de Díos. Yo estoy aquí con los guardianes de la Llama de la Resurrección, Lord Jesús/Sananda con su amada Lady Nada, conocida en su mundo como María Magdalena en su última encarnación. Ellos han venido a irradiar el resplandor de su Amor a todos, y compartir con Uds. la verdad que les ha sido escondida por tanto tiempo.

La verdad que les ha sido enseñada a Uds. acerca de Díos y su divinidad en su corta encarnación en este planeta hasta ahora, es limitada comparada con lo que hay para conocer. Hay mucho conocimiento a su disposición hoy en día para ser abarcado y comprendido para desarrollar su conciencia.

La mayoría ha experimentado miles de encarnaciones en este planeta, y en su encarnación presente han sido enseñados con solo pocas perlas de verdadero conocimiento. Esto está cambiando ahora. Esta noche compartiremos uno de estos tesoros espirituales para asistirlos en su sanación.

La Llama de la Resurrección no es únicamente una Llama Sanadora; su esfera de acción es amplia, en este corto espacio de tiempo, sólo podremos cubrir un conocimiento a nivel general. Fue la Llama de la Resurrección que el maestro Jesús usó para resucitar su propio cuerpo en la tumba después de la crucifixión, hace 2.000 años. Esto en sí mismo debería darles una pista, cuando contemplan su significado más grande, ¿qué es lo que realmente significa resurrección? Lo que hizo por este Avatar, también puede hacerlo por Uds. Los atributos de esta Llama no han disminuido; al contrario, ha recogido más intensidad desde ese tiempo.

Aún cuando esta Llama está siempre activa, en la Pascua es cuando su energía dobla su intensidad para el beneficio del género humano. La Llama de la Resurrección, como una actividad del Sexto Rayo, también personifica las energías de Servicio sin egoísmo y Ministerio. Eso fue lo que Jesús personificó y demostró con su vida y su servicio sin egoísmo a la humanidad. El permanece en este llamado sagrado por toda la Era de Acuario.

Su experiencia con la llama de la Resurrección no fue única; él simplemente supo cómo usar sus energías que dan la vida. Ahora que han evolucionado su conciencia a un nivel más grande de entendimiento, es importante empezar a usar esta llama para su propia transformación. Hay muchas herramientas a su disposición para facilitar su vida y acelerar su camino evolucionario. Simplemente necesitan estar consciente de ellas y empezar a usarlas diligentemente cada día.

Cuando desean sanación en su cuerpo, usen la energía de la Llama de la Resurrección para lograr esto, tomando dentro de su cuerpo una frecuencia mucho más alta de la que ya están llevando. Una sanación superficial y temporal no es lo que realmente desean. Necesitan algo que los exalte y que sea permanente. Uds. desean que su sanación refleje su perfección divina.

Cuando el maestro Jesús dijo, "Yo Soy la Resurrección y la Vida," él no estaba hablando acerca de su ser humano encarnado. El estaba enseñando la ley divina del poderoso "Yo Soy" que vive en el Sagrado Corazón de Uds., y no expresada completamente en su estado presente de conciencia. Entiendan que la Llama de la Resurrección es una energía que fácilmente pueden usar por medio de su enfoque en ella e invocándola, y jugando con ella. ¡Sean creativos!

*Grupo - Suena asombroso para mí. Hasta que Aurelia lo mencionó, yo nunca había oído hablar de ello. ¿Cómo podemos hacerlo funcionar en nuestras vidas?*

*Adama* - Es uno de los muchos atributos de Díos. Pueden resucitar sus finanzas, pueden resucitar sus cuerpos, pueden resucitar la armonía en la familia, y pueden resucitar un gran número de cosas que desean expandir en su vida.

Pueden usar las palabras "Yo Soy," sabiendo que es el aspecto ilimitado de Uds., ó pueden decir algo como, *"Desde el Señor Díos de mi ser, yo llamo ahora para recibir una gran infusión de la Llama de la Resurrección en cada célula, átomo y electrón en mi cuerpo físico, mi cuerpo emocional, mi cuerpo mental, mi cuerpo etérico, mi cuerpo elemental y todos mis cuerpos sutiles. Yo deseo sanar y resucitar todos los aspectos de mi vida."* (Nombren otras cosas que personalmente desean resucitar tales como finanzas, talentos, memorias, armonía, etc.) El cielo no es ni siquiera el límite de cómo pueden usar esta energía. Si sienten escasez de cualquier clase en su vida, si su cuerpo no está en un estado de luminosidad e inmortalidad, si no están todavía manifestando absolutamente belleza divina, juventud y perfección, quiere decir que los electrones que componen su estructura física están todavía sufriendo de niveles de distorsión. Llamen a la Llama de la Resurrección para que venga a su rescate.

*Grupo* - *¿Con qué frecuencia necesitamos hacer esto?*

*Adama* - En su dimensión, donde la energía se mueve tan despacio, contraria a la nuestra donde la creación es instantánea, necesitan enfocarse en lo que desean crear varias veces al día, hasta que obtengan los resultados deseados. También necesitan agregar los sentimientos de amor y gratitud para enfocar su creación. Si se enfocan solamente una vez, sus posibilidades de que se manifieste lo que necesitan son más bien pocas. No es cuestión de repetir afirmaciones como un loro, sino mandar sus pensamientos amorosos a través del día al estar haciendo sus cosas, con el conocimiento absoluto de que su creación se está manifestando a través de su amor e intención. Es así como trabajan las leyes de manifestación.

Si escogen hacer afirmaciones, las cuales son de mucha ayuda, asegúrense de repetirlas, no como una súplica, sino como una declaración de intención amorosa, con una intensidad total de emociones desde su corazón, infundiendo al objeto de su deseo con una gran fe y gratitud. Es siempre útil visualizar la Llama de la Resurrección como una energía dorada anaranjada-amarilla, luminiscente en color como un atardecer de verano. Háganlo real. Denle vida en su corazón y mente, porque al Uds. visualizarlos, así lo van creando. Si desean sanación, infundan el problema que desean sanar con esa energía y asegúrense que puedan sostenerla suficiente tiempo para que puedan obtener los resultados que desean.

Las energías de las Llamas están también conectadas a cada uno de sus chakras. Al Uds. evolucionar su conciencia, descubrirán muchos más chakras que serán activados, y llegarán a estar familiarizados con muchas llamas más de las que ahora conocen. Todas las llamas trabajan individualmente y juntas en sincronía, como un arco iris de luz para asistirlos y apoyarlos. Piensen en energías tales como la Llama de la Alegría, la Llama de la Armonía, la Llama del Consuelo y la Paz, etc. Sus maravillas son simplemente sin fin.

***Ahora, desearía compartir con Uds. el entendimiento sobre los electrones.***

La más pequeña manifestación en la vida puede ser medida en términos de los cuales el hombre puede entender como electrones. Estos electrones representan partículas de energía desde el cuerpo del Creador Primordial, el cual es eternamente auto-sostenido, indestructible, auto-luminoso e inteligente. Los electrones son una sustancia de luz universal pura, respondiendo como relámpagos a los poderes creativos de ambos Díos y hombres. En formas variadas ellos hacen los átomos del mundo físico. El espacio Interestelar está lleno con esta "esencia de luz." pura. Los números de los electrones, los cuales combinados con cada uno en un átomo específico es el resultado de, y determinado por el "pensamiento" consciente.

La velocidad en la cual ellos giran alrededor del foco central es como resultado de y determinado por los "sentimientos." La intensidad del movimiento giratorio dentro del foco central es "el aliento de Díos." Por lo tanto, la actividad más concentrada del "Amor Divino," la energía que crece sus comidas, la substancia que encuentran en la tercera dimensión, es toda creada por varias manifestaciones de electrones que han sido calificados diferentemente. Todo está hecho de la misma "substancia" llamada electrones. Todos los electrones vienen de la energía de la Fuente primordial como "Amor."

Los electrones son creados como partículas de energía desde los planos etéricos de conciencia; su energía es neutral y totalmente al servicio de la Vida. Los electrones toman varias formas y densidades de acuerdo a cómo están calificados. En su mundo, cuando califican energía por debajo del puro Amor, cuando crean con miedo, rabia ó avaricia, están maltratando los electrones y creando distorsiones en su propósito original de servicio a la Vida. Esta creación errónea entonces llega a ser su propio karma. Tienen que vivir con la programación con la cual han calificado los electrones. Cuando balancean todas sus deudas a la vida con Amor, están purificando todos los electrones que han maltratado. Esto es lo que Uds. llaman "trabajar el karma."

***Tomen nota, mis queridos hermanos y hermanas, de lo que voy a decir seguidamente. Esto es lo más importante para que Uds. lo recuerden siempre.***

Díos les da a diario un número ilimitado de electrones con los cuales crean su vida, y siempre son libres de crear de la forma que deseen. De acuerdo a lo que crearon con sus pensamientos, intenciones y emociones, su vida reflejará cómo han usado los electrones disponibles para Uds. En general, la humanidad no entiende el correcto uso de los electrones, en otras palabras, el correcto uso de la energía a su disposición. Este conocimiento ha sido olvidado. Al usar la energía en forma errónea como lo hacen en la superficie de la Tierra, están creando mucho dolor y dificultad para Uds. mismos, para su planeta y para todos los que están evolucionando aquí.

*Grupo* - *¿Nosotros descalificamos el uso de esa energía a través de auto-dudas, juicios, miedo, emociones negativas y acciones que no están expresando amor?*

*Adama* - Si, los electrones desean responder al Amor, cuando los descalifican con otras vibraciones que no son Amor ó Alegría, ellos se distorsionan y esa distorsión llega a ser su responsabilidad cósmica. ¿Cómo piensan Uds. que se sintieron los electrones cuando fueron usados para la energía nuclear u otro tipo de destrucción? Recuerden, ellos llevan la conciencia e inteligencia del Creador primordial. Porque ellos están encargados de servir a la Vida incondicionalmente, ellos tienen que servir al género humano en cualquier forma que el género humano escoge usarlos. Estos electrones, muchas veces, permanecen incrustados en la negatividad del género humano, por tiempo indefinido. Esto no es lo que ellos desean, o la razón por la que fueron creados; ellos tienen que ser sometidos dolorosamente a este maltrato.

El género humano puede usar los electrones para crear un paraíso absoluto para ellos mismos, para el planeta, para todo alrededor de ellos, ó pueden usarlos para destruirse a sí mismos y a su mundo. Este es el experimento del libre albedrío en este planeta. No todos los planetas tienen libre albedrío como el que tienen Uds. aquí en la Tierra. El maltrato del libre albedrío ha sido una experiencia muy dolorosa para la humanidad. Esta es la razón por la que es tan importante entender el uso correcto de los electrones. La Llama de la Resurrección puede ayudarlos a purificar los electrones que han sido maltratados armonizándolos. Como todo lo demás, todas las Llamas de Díos están también hechas de electrones.

Grupo - *Lo que Ud. está diciendo es que si nosotros estamos orientados en el miedo ó emociones negativas, la energía que conducimos está siendo maltratada. Desde la Fuente del Creador, los electrones están saturados con Amor y vivos con la conciencia fluyendo hacia nosotros para nuestro uso.*

Adama - Exactamente, es una constante en todas partes en todos los Universos. Los electrones representan la energía que usan para crear su vida diariamente. Si maltratan los electrones ó la energía, ellos crean campos de oscuridad alrededor y dentro de Uds. Si los maltratan para crear miedo dentro de Uds. ó para proyectar este tipo de energía hacia otros, en dudas y juicios, los electrones de su propio cuerpo se distorsionan, y eventualmente crean enfermedades, falta de vitalidad y envejecimiento, etc.

Grupo - *¿Cómo corresponde el uso de la Llama de la Resurrección a nuestras necesidades, al irnos moviendo hacia nuestra maestría, ganando la sabiduría y el entendimiento de nuestras experiencias?*

Adama - Primero que todo, necesitan entender que la Llama de la Resurrección no solo es la Llama nutriendo la Vida. Uds. no pueden maltratar libremente la energía de Díos sin consecuencias. Cuando califican la energía de Díos con Amor, los electrones empiezan a fluir en una forma distinta, creando armonía, porque esa es su naturaleza. Su naturaleza es divina y así también es la de ellos.

Tienen que trabajar con sus emociones y llegar a ser muy conscientes de los patrones de sus pensamientos y acciones. Pueden invocar la llama de la Resurrección para ayudarlos a restaurar la armonía en su vida y sanar todos sus problemas. Cuando empiezan a re-calificar la energía o los electrones con las Llamas de Díos, los electrones empezarán a girar en la dirección del reloj en lugar de la dirección contraria al reloj. Este trabajo interno necesita ser abrazado como una forma de vida, "progreso en acción," no algo que hacen una que otra vez. Esto es su tarea más importante y la llave para la libertad espiritual que tanto anhelan.

Los regalos de esta Llama son impersonales, no limitados a un solo ser hace 2.000 años, sino para todos lo niños del Creador en cualquier momento, en cualquier lugar. Algunas personas la usan para sus finanzas: "Yo soy la resurrección y la vida de mi finanzas." Otras la usan para su sanación: "Yo soy la resurrección y la vida de mi salud perfecta." Cuando empiecen a usarla, muchas cosas les serán mostradas para que tengan conocimiento de su crecimiento espiritual. Antes de que puedan recibir lo que desean, puede ser que necesiten arrancar la maleza del jardín de su conciencia. Al enfocarse en el objeto de su deseo, lo que necesita ser re-alineado les será mostrado, y al cambiar su conciencia, su vida cambiará para mejor.

¿Saben algo? la vejez y la degeneración nunca han sido atributos naturales de la vida. La apariencia de su cuerpo físico es determinada por la cantidad de luz que llevan dentro de sus vehículos más bajos, los cuerpos emocional, mental, etérico y físico. La emanación natural de luz a través de estos sistemas de cuerpo forman una pared protectora referida como el tubo de luz alrededor de Uds. Cuando los electrones se mueven lentamente en sus órganos particulares y células, ellos atraen menos luz desde su Ser Superior, creando resistencia y una corriente de luz más débil. Mientras más vitalidad tienen en su cuerpo y cómo de bien puedan sentirse, está relacionado con la rapidez que los electrones pueden girar en su cuerpo.

Mientras más toxinas tienen, hay menos luz que pueden sostener, y más lentos los electrones giran, alentando la vejez, enfermedades, desalineación y mal funcionamiento de sus órganos, glándulas y sistemas. Con el tiempo, su cuerpo completo empieza a experimentar envejecimiento. En Telos, hemos obtenido inmortalidad porque hemos aprendido a mantenernos a nosotros mismos y a todo lo que hacemos en nuestras vidas físicas, nuestras actitudes mentales y nuestros cuerpos emocionales totalmente claros de negatividad. Nosotros nos aclaramos regularmente con las muchas herramientas que les estamos enseñando. Nuestros electrones están girando a la velocidad que mantiene nuestros cuerpos siempre jóvenes y bellos. La inmortalidad no es tal misterio, una vez que empezamos a entenderla, sino que es un desarrollo de la "Vida real" que es divina y natural.

*Grupo* - *¿Los maestros alguna vez cometen errores?*

*Adama* - Tienen que darse cuenta que cuando hablan acerca de maestros y maestría hay varios niveles. Hay maestros de la cuarta dimensión, hay maestros de la quinta dimensión y hay maestros en todas dimensiones. En cada dimensión, uno está aprendiendo más y más niveles de maestría. Por ejemplo, si hablan de maestros en la cuarta dimensión, si, ellos pueden cometer errores, pero también es parte de su proceso de aprendizaje, como lo es para Uds. Uds. están aprendiendo en su mayor parte de sus errores. Los errores que ellos cometen no son muy serios porque tienen mayor sabiduría y trabajan bajo la guía de maestros de dimensiones más altas. A niveles más altos, hacemos las cosas en grupos y unidad, de esa forma siempre recibimos el beneficio de la sabiduría del todo y de aquellos que tienen un logro espiritual más grande.

Cualquier cosa que pasa en sus vidas, vamos a decir que perdieron su casa en un fuego, o estuvieron en un accidente y perdieron una pierna, o se quedaron ciegos, o perdieron una suma grande de dinero, o sufrieron la pérdida de una relación, no importa lo que sea, así sea el reto pequeño o grande, en lugar de estar enojados, deprimidos y amargos, qué tal si dijeran, "¿qué es lo que puedo aprender y sanar de esta experiencia?"

Rendirse a las lecciones y aprender de los retos son las claves para caminar a través de ellas rápidamente. Su vida cambia y no tienen que aferrarse con las mismas lecciones. Pueden moverse a aquellas que les traen muchas más alegría. Las lecciones no siempre tienen que ser difíciles de aprender; ellas llegan a ser difíciles para aquellos que escogen ignorarlas totalmente.

***Hay aquellos que vida tras vida de no han querido ver, saber ó tener nada que ver con sus lecciones.***

Llegará un momento que la vida no les va a permitir ignorar más los llamados de su alma, y es entonces cuando la vida puede llegar a ser difícil. No es necesario que se aferren a sus lecciones para siempre. Se pueden mover a través de ellas rápidamente, hasta que empiecen a tener la imagen de la manifestación de la hermosa luz del diamante que son Uds., y luego podrán obtener su iluminación. Las lecciones que están aprendiendo se manifiestan porque en primer lugar "Uds." las han creado. No es que Díos les envía lecciones para fastidiarlos. Es a través del maltrato de su libre albedrío que Uds. han creado sus lecciones y su realidad.

Al tomar la responsabilidad, mirar sus lecciones y decir, "¿Qué es lo que necesito aprender de este lío que he creado? ¿Qué bendiciones se encuentran en ello? ¿Cuál es el regalo?" Cada situación negativa ó dificultad que experimentan en la vida puede ser transformada en algo maravilloso. Si es visto de la forma correcta. Incluso enfermedades ó pérdida financiera puede abrir la oportunidad para que mayores bendiciones sean manifestadas una vez que abren su conciencia para recibirlas. ¿Cuántas personas ganan gran sabiduría como resultado de sus enfermedades o de una relación que se terminó?

Por ejemplo, hay todavía un gran número de personas maltratando animales en su sociedad porque su conciencia está muy alejada de la verdad de la Unidad con toda la vida. Muchos todavía viven en la ilusión que los animales son formas más bajas de vida, ¿verdad? El abuso de los animales que se ha permitido en su sociedad, imponiendo en sus almas experiencias de matanza despiadada, abandono, enjaulamiento, encadenamiento, experimentos en laboratorios, etc. no reflejan las cualidades de iluminación.

Cuando la gente maltrata ó hiere animales, están negando que ellos están hechos de los mismos electrones del Creador primordial. Una vez que se dan cuenta completamente que todo lo que existe vive de la energía de Díos, y que la energía primaria es toda la misma, llegan a ser completamente conscientes que "nunca" pueden herir a una parte de esa vida sin herirse a sí mismos en la misma medida y soportar el karma.

*Grupo* - *Permíteme agregar, Adama, no solamente es el reino animal, pero también los reinos de las plantas y minerales, los espíritus de la naturaleza y los elementales que sufren en las manos de gente que no están iluminados.*

*Adama* - Oh, por supuesto. Yo solo uso los animales como un ejemplo. ¿Acaso aquellos que contaminan y saquean el planeta piensan que no son responsables por sus acciones y libres de las consecuencias? Para aquellos que saquean, contaminan el planeta, contaminan las aguas, contaminan el aire, su mismo aliento de Vida, van a sufrir el retorno de su creación. ¡Así como siembras, así deberás de recoger! Algunas gentes en la Tierra están todavía haciendo mucho daño al planeta y a sus hermanos y hermanas humanos. Con el tiempo, cosecharán las consecuencias de sus acciones. Nunca nadie puede escapar la gran ley de la justicia divina.

*Grupo - Otro mal entendimiento generado en este tiempo es que todo el mundo va a poder llegar dentro de la quinta dimensión cuando la Tierra haga el cambio dentro del estado de la Ascensión en el 2012.*

*Adama* - Todo el mundo que haya cambiado su conciencia al amor incondicional y haya cumplido todos los otros requerimientos para la Ascensión ciertamente lo hará junto con el planeta. Pero otros tendrán la experiencia de su creación y continuarán su evolución hasta que lo "consigan," y se cambien al Amor y la conciencia de unidad. Mucha asistencia y clemencia le será dada a aquellos que escojan la Ascensión en este momento, pero aquellos que no escojan esto fervientemente no van a lograr hacerlo en este ciclo. Básicamente, la mayoría de las personas en el planeta son buenas y amorosas, aún cuando no estén despiertos espiritualmente todavía.

Aquellos que han creado una y otra vez tantos problemas para otros y para el planeta, no van a calificar para la ascensión y van a experimentar el retorno de lo que crearon. Para ellos, la Ascensión vendrá a ser una posibilidad en otro ciclo. todo el mundo tendrá una oportunidad de hacerlo dentro de la quinta dimensión, si lo escogen, pero no todo el mundo está haciendo esa elección.

***Yo invito a todo el mundo a hacer esta elección en su corazón. ¿Quieren venir ahora ó desean esperar a otro largo ciclo?***

Porque los corredores de la Ascensión están abiertos a lo ancho en este momento, no quiere decir que van a permanecer abiertos para siempre. Los corredores de la Ascensión estuvieron cerrados por un largo tiempo para los habitantes de la superficie, y nadie sabe cuando se van a cerrar o abrir otra vez. Esta decisión no está dentro de nuestra jurisdicción. Puede tomar otros varios miles de años antes de que haya otra oportunidad como esta para la Ascensión. Les urgimos a que no se queden en la baranda en un estado de indecisión. Hagan su elección ahora y estén entregados a su elección.

Déjenme aclararles algo, hay aquellos en la tierra en este momento que debido a su edad, tales como sus ciudadanos ancianos, que han hecho la elección de la Ascensión en los planos internos, pero no califican para ello en esta vida. Hay demasiado todavía que ellos necesitan aclarar y entender; algunas queridas almas tienen cuerpos viejos y enfermos y no han tenido la oportunidad de abrir completamente su entendimiento.

Al nivel del alma, ellos son personas gentiles que no han hecho ningún daño. Mucho de ellos dejarán su cuerpo, pero esto no quiere decir que no van a venir en la Ascensión. La gracia divina para ellos es que se les dará otra oportunidad de encarnar en el "nuevo mundo" al cual nos estamos moviendo y el proceso de la ascensión en la siguiente vida será mucho más fácil y lleno de alegría para ellos. Esta es la gracia divina concedida a ellos.

Cuando la gente en este planeta se mueva dentro de la cuarta y quinta conciencia dimensional, ellos continuarán teniendo niños. La mayoría de las civilizaciones en las dimensiones más altas pueden tener niños. Muchas de estas almas ascenderán físicamente en su próxima experiencia de vida. La oportunidad correcta estará disponible para cada alma.

Ahora, me gustaría expandirme más en el uso de la Llama de la Resurrección para rejuvenecer el cuerpo físico y el tema de la inmortalidad. Es importante entender el uso de la Llama de la Resurrección y todas las otras llamas. La energía de la Resurrección es una vibración clave para obtener la inmortalidad del cuerpo físico. Si desean hacer el cambio con sus cuerpos, sin ir a través del proceso de la muerte física, la Llama de la Resurrección los asistirá en gran medida. Se dan cuenta que cuando toman un interés real en su propia evolución y permiten a la Llama de la Resurrección pasar a través de su cuerpo regularmente, empiezan a personificar un nivel más grande de armonía, belleza y vitalidad. La inmortalidad empieza por medio de expresar más juventud y vitalidad dentro de su corriente de vida.

El alma que ha obtenido un cierto nivel de madurez debe ser más bella y exquisita en la cara y la forma al pasar los años. El proceso de envejecer que experimentan al llegar a edad más avanzada va a cambiar en forma natural en los años venideros. Ya está cambiando para muchos. Al llegar a ser más viejos e integrar más luz dentro de su conciencia, empezarán a expresar más belleza y perfección en su cuerpo físico. ¿Esta noticia hace que sus corazones canten?

Creando distorsiones en el cuerpo, perdiendo vitalidad y pareciendo más viejo no es un atributo divino. Los alentamos a que empiecen a contemplar la Llama de la Resurrección con sus habilidades para revertir el proceso de envejecer y para hacerlos resplandecer. ¿Se pueden imaginar si cada célula, átomo y electrón en su cuerpo empieza a resplandecer con la Llama de la Resurrección, y llegan a ser luminosos y radiantes? Su cuerpo tomaría la belleza exquisita y todos los atributos de su Ser divino.

Al envejecer, llegaran a ser cada vez más bellos y divinos en su forma física. Esto es lo que nosotros hemos obtenido en Telos y este es mi mensaje principal para esta noche. Como somos todos básicamente iguales genéticamente hablando, lo que hemos obtenido, todos Uds. pueden obtenerlo también. Algunos de nosotros en Telos hemos vivido por miles de años sin ningún signo de envejecer. La Llama de la Resurrección es un factor mayor en mantener nuestra juventud. ¿Están listos para la meditación?

***Meditación***

## Viaje al Templo de la Resurrección en la Quinta Dimensión

*Adama con Lord Sananda y Lady Nada*

Ahora los invitamos a todos Uds. para que realicen un viaje en conciencia al Templo de la Resurrección cerca de Jerusalén. Una de las funciones de este templo es asistir a la humanidad con las energías de la verdadera resurrección, la cual tiene lugar en mucho niveles. En su evolución inmediata y futura, no están viendo más que la simple manifestación superficial ó sanaciones temporales para varios problemas que los abruman, ya sean de naturaleza física, emocional mental ó espiritual. Lo que necesitan hacer es infundir la energía de la Resurrección en su cuerpo y conciencia, sabiendo que los ayudará a elevar su vibración sobre la frecuencia de las circunstancias presentes en la vida. La llama de la Resurrección está disponible en cualquier momento y es gratis. Todo lo que requiere es un poquito de su tiempo, su enfoque y su amor para invocarla y trabajar con ella.

Ahora, conéctense en su corazón con la "Presencia Yo Soy" al tomar varias respiraciones profundas. Pídanle a su cuerpo de luz que descienda sobre Uds. y los lleve en conciencia al

Templo de la Resurrección; sabe cómo llevarlos allá. Si desean venir junto con nosotros en este viaje, yo los invito que formulen su intención en su corazón ahora. *(Pausa)*

Este templo es creado en una sustancia que se parece al "nácar." Tiene un diseño circular, brillando como un sol desde la distancia, parece como vapores de perlas y luz de sol dorada a todo alrededor. En varios lugares, refleja la luminosidad de otras Llamas. Pídanle a sus guías que los lleven allí en su cuerpo de luz y lleguen a estar conscientes de este lugar en su conciencia. Ahora véanse a sí mismos allí, entrando a un cuarto largo llamado "El Vestíbulo de la Resurrección." Contiene muchas cámaras y entradas. Un gran número de seres de distintas dimensiones usan este vestíbulo. Vibra en varias altas frecuencias y en diferentes lugares para acomodar aquellos de otras dimensiones. Ahora vean a un grupo de seres, guardianes del templo, acercándose para darles la bienvenida y acompañarlos en esta experiencia.

La gente de la tercera dimensión es llevada dentro de cámaras diseñadas para su nivel de tolerancia a la vibración. Este templo está muy bien atendido; muchas almas de esta galaxia y más allá que visitan este planeta, vienen aquí para recargarse. Respiren esta maravillosa energía de la Llama Dorada y permítanle infundir cada partícula de su ser. *(Pausa)*

Esta Llama los ayudará en la expansión de su conciencia, su entendimiento de la vida y la evolución a un nivel más grande del que tienen ahora. Respiren e integren la conciencia y la energía de la Resurrección. Respírenla dentro de cada célula, átomo y electrón de todos sus cuerpos. Usen la Llama de la Resurrección regularmente y continuará expandiéndose dentro de Uds. hasta la eternidad. Seres de dimensiones más altas todavía siguen usándola para expandir su conciencia dentro de niveles más altos.

Quédense con nosotros un rato en el vestíbulo de la Resurrección y con aquellos del templo que graciosamente se han ofrecido para acompañarlos. Millones de ángeles de la Llama de la Resurrección nutren y atienden a la humanidad cada día, especialmente aquellos que piden y hacen un contacto consciente con ellos y con esta llama. Uds. tienen acceso no solamente a la Llama, también a todos los maravillosos ángeles deseosos de trabajar con Uds. uno-a-uno, para nutrirlos y amarlos de regreso a su libertad espiritual.

Al entrar en este asombroso vestíbulo dorado, verán cantidades de Llamas de la Resurrección doradas en todo tipo de formas y tamaños ardiendo brillante y perpetuamente para asistir a la Tierra y al desarrollo de la humanidad.

Caminen alrededor del vestíbulo para admirar todas sus maravillas. Al caminar, su guía los dirigirá a un círculo específico reservado para los habitantes de la superficie. El círculo está hecho de Llamas en varios tamaños y formas que aparecen como distintas variedades de flores. Uno de estos asientos de la Llama de la Resurrección los está llamando a que se sienten en silencio y absorban las energías dentro de sus cuerpos. Ahora escojan el asiento que los está llamando. Pueden sentir que se están sentando en una flor de Lotus, pero es la llama de la Resurrección tomando la forma y la apariencia de una flor. Esta Llama dorada los envuelve completamente para elevar su energía y traerles sanación y consuelo a su alma. Al sentarse y contemplar las maravillas de su experiencia, continúen respirando y absorbiendo todas las energías que puedan. Siéntanlas llenando cada aspecto de su ser.

Ahora tomen unos pocos minutos para hacer un pedido consciente de lo que desearían resucitar. Pongan su enfoque en el regalo único que están recibiendo hoy, siendo nutridos y amados por los guías y ángeles que los acompañan. Inhalen más, porque Uds. desean llevarse el máximo posible de esta energía de regreso con Uds. dentro de su cuerpo físico.

Sientan su cuerpo siendo imprimido con la energía de la Resurrección y lleguen a ser consciente de cómo los afecta. Despierten sus cuerpos sensoriales para sentirla más profundamente. Sientan la alegría que les trae a su corazón. Absorban toda la energía que puedan y sientanse cómo están llegando a ser más ligeros ahora en el lugar donde están sentados. Se siente como si los ángeles los estuvieran cargando en alas de luz. Conscientemente pongan su intención para que esta maravillosa llama literalmente los eleve fuera de la causa que están tratando de sanar y balancear.

No duden de invitar al maestro Jesús/Sananda con su amada Nada y su momento de la Llama de la Resurrección para asistirlos; ellos son maestros y guardianes de esta Llama. Si Sananda como Jesús pudo levantar su propio cuerpo de la muerte y usar la misma energía para levantar a Lázaro de la muerte, él ciertamente puede asistirlos en una gran medida. Lo que él hizo, Uds. podrán hacerlo también, pero tienen que edificar su momento. en un período de tiempo. Pueden usar esta Llama para literalmente resucitar su propio cuerpo a un estado absoluto divino de perfección, belleza, radiante, luminoso, inmortal e ilimitado.

Cuando se sientan completos, regresen a la conciencia completa. Levántense de su silla y regresen para reunirse con nosotros otra vez a la entrada del Vestíbulo del templo de la Resurrección. Los estamos llevando de vuelta a su cuerpo físico, pero la conexión con la Llama permanece. Siempre serán bienvenidos e invitados a tomar un asiento en el Templo de Resurrección en cualquier momento que lo deseen para que puedan recibir cada vez mayores beneficios. Pueden venir cada día o tan frecuente como deseen.

**_El Elixir de Inmortalidad viene de la Llama de la Resurrección._**

Ahora les enviamos amor, paz, armonía y sanación desde Telos y desde los miembros de nuestra comunidad de Luz. Sepan que estamos con Uds. todo el tiempo y estamos tan cerca como una llamada. Cualquier momento que deseen conectarse con nosotros, nuestros corazones están abiertos. Somos sus hermanos y hermanas y los amamos muchísimo. Y así es.

*Aurelia - Muchas gracias Adama por ese maravilloso, maravilloso mensaje y meditación, y por introducirnos a la Llama de la Resurrección y sus muchos atributos para nuestras vidas. ¡Qué regalo tan maravilloso, y qué bendición! También expresamos nuestra gratitud desde el corazón a Nada y Sananda, por su presencia y la contribución de su amor y resplandor hoy aquí. Los amamos tanto, Adama, Sananda y Nada. Muchas gracias, por ser los maestros maravillosos que son Uds.*

*Adama* - Ha sido nuestro deleite y gran placer. Hemos estado esperando por el día en que íbamos a poder introducir estas enseñanzas a la gente de la superficie. También los amamos a todos muchísimo. ¿Saben? cualquier cosa que uno hace ó deje de hacer nunca pasa desapercibido en nuestro reino. Uds. están creando por medio de su trabajo y su diligencia las perlas maravillosas de Amor. Tengan la confianza de que algún día podrán cosechar los beneficios de esas perlas. ¡Cualquier cosa que crean en Amor recogerán en Amor!

Estamos muy agradecidos en Telos por esta oportunidad de ser oídos y leídos, y por tener una voz en la superficie finalmente. Hemos esperado esta oportunidad durante siglos. Anhelamos reconectarnos de "corazón-a-corazón" con nuestra familia en la superficie. El puente entre nuestra civilización y su civilización ha sido creado, pero es mucho más fuerte en nuestro lado. Todavía tienen que fortificar sus puentes con nosotros. La conexión del corazón debe ser hecha con un número más largo de personas antes de que podamos salir entre Uds. en forma tangible. Cuando suficientes personas estén listas y deseosas de aceptar nuestras enseñanzas, nosotros haremos conocer nuestra presencia visible y públicamente.

*Grupo - Muchas gracias,, nos sentimos muy agradecidos por su amor y sus enseñanzas. Estamos impacientes porque nos muestren más enseñanzas. Otra vez gracias, amados amigos, cada momento ha sido valioso, Hasta que nos reunamos otra vez, bendiciones para Uds., Adama, Sananda, Nada, y todos los otos miembros de nuestra familia Telosiana.*

*El Maestro Saint Germain*

# Capítulo Siete

## El Séptimo Rayo:

## La Llama Violeta de Transmutación

**Cualidades y acciones principales**
**de Díos de la Llama Violeta:**
Libertad, Transmutación, Transformación, Diplomacia,
Ceremonia y Aplicación de la ciencia de la verdadera alquimia.

Chakra correspondiente: La Sede del Alma
Color: Violeta
Piedra Correspondiente: Amatista, Fluorita Violeta

**Chohan del Séptimo Rayo:**
El Maestro Saint Germain,
también conocido como el Díos de la Libertad
Sus Retiros: Transilvania, Rumania, y el Gran Templo de la
Llama Violeta, Los Picos de Jackson, in Wyoming, USA.

**Arcángeles del Séptimo Rayo con el Complemento Divino:**
Zadkiel y Amatista
Su Retiro: Sobre la Isla de Cuba

**Elohim del Séptimo Rayo con el Complemento Divino:**
Arcturus y Victoria
Su Retiro: Cerca de Luanda, Angola, África

Nota: Vamos a mencionar Omri Tas, el que rige el planeta Violeta, donde el Séptimo Rayo de la Llama Violeta es generada para este universo. Vamos a darle reconocimiento a su Presencia y su servicio perpetuo a esta Llama Sagrada. El también está disponible para asistirnos en el uso correcto de la Llama Violeta de Transmutación cuando nosotros incluimos su presencia en nuestras invocaciones.

## El Hogar del Maestro Saint Germain

Anidado profundamente en el bosque natural y colinas de los Cárpatos, cerca de la frontera de Hungría/Rumania, llegamos sobre la casa solariega del Barón en el corazón de Transilvania, el hogar de uno de los grandes benefactores de la humanidad, el Maestro Saint Germain. Su servicio a la vida empezó mucho antes de que la gente de la Tierra tuviera la necesidad de llamar por la libertad. Muchas de sus encarnaciones tuvieron lugar cerca de este paraje. A través de los siglos, muchos benefactores de la raza humana habían sido acogidos en su sociable hogar, aún cuando no siempre eran completamente conscientes del estatus de su anfitrión. Entre sus muchas cualidades, el viejo amoroso hogar guarda tesoros invaluables que marcan los pasos y progresos del viaje del género humano.

## Encarnaciones de Saint Germain

- En el siglo XI, A.C. Saint Germain encarnó como el profeta Samuel.

- Saint Germain encarnó como San José, el padre de Jesús y esposo de María.

- A finales del siglo III, encarnó como San Alban, el primer mártir de Gran Bretaña. Alban vivió en Inglaterra durante la persecución de los Cristianos bajo el emperador Romano Dioclecian.

- En el siglo V, Saint Germain encarnó como Merlín, el gran alquimista, profeta y consejero en la corte del Rey Arturo.

- Como Roger Bacón (1220–1292), el amado Saint Germain fue filósofo, monje Franciscano, maestro y científico.

- Como Cristóbal Colón (1451–1506), él descubrió América.

- Como Francis Bacón (1561–1626), fue filósofo, hombre de estado, y maestro literario. Las investigaciones demuestran que el fue el autor de las obras de Shakeaspeare y el hijo de la Reina Elizabeth y el Noble Leicester.

- Deseando por encima de todo liberar a la gente de Díos, a Saint Germain le fue dado una dispensación de los Nobles del Karma para regresar a la Tierra en un cuerpo físico. El apareció como "El Conde de Saint Germain," una persona milagrosa que sacudía a las cortes del siglo XVIII y XIX en Europa, donde fue conocido como el "Hombre Maravilloso de Europa."

Para más información detallada acerca del Maestro y sus Retiros, consulten el libro de Mark y Elizabeth Clare Prophet, copilado y editado por Annice Booth, Summit University Press.

## Extracto del Noble Zadkiel

Aquellos de Uds. que saben acerca del uso de la Llama Violeta tienen una oportunidad especial ahora para sacar de su Cuerpo Causal todo el conocimiento que han acumulado del pasado. Esta llama actúa como lo hace el sol al brillar, impersonalmente e instantáneamente dondequiera y en cualquier momento que es llamado. Permitan que el Fuego Violeta arda dentro, a través y alrededor de sus cuatro sistemas de cuerpos, y específicamente a través de la estructura de su cerebro, dirigiéndolos para transmutar pensamientos y sentimientos duros e imperdonables en sus cuerpos etéricos, mentales y emocionales. Estos sentimientos "duros en el centro" crean la mayoría de su estrés.

Permítanle ser reemplazados por gratitud, por sentimientos de alegría receptiva, los cuales abren su mundo a la bondad de Díos, y los hace un imán poderoso atrayendo hacia Uds. todo lo bueno que Díos desea que tengan, todo lo que una vez supieron. Dejen que los sentimientos de gratitud al Sagrado Padre por estos regalos que fluyen en su mundo puedan ser capaces de visualizarlos más rápidamente en la Perfección Divina que desean obtener. Cuando deseen que el Fuego Violeta de la libertad, amor, piedad y compasión actúe en su mundo, invóquenla en el nombre y la autoridad de su Presencia del Yo Soy. Esta Llama llega a ser más poderosa cada vez que es llamada.

Hace mucho tiempo, en Atlantis y Lemuria, nosotros exteriorizamos un gran enfoque de este Fuego Violeta en cada continente. Su llama radiante fue percibida por la visión física en una distancia de miles de millas en todas las direcciones. Es nuestra intención sincera recrear estas maravillas en la era de la Séptima Edad Dorada.

Bien amados, la Llama Violeta es absolutamente real. Esta llama es su libertad al arder en, a través y alrededor de Uds. Invóquenla a diario y dejen ir el caos emocional, mental, etérico y físico. Acepten la justicia divina la cual es la herencia de su ser, para llegar a ser el Díos y la Diosa en esta Tierra, y luego adquieran la gloria completa del estatus de Maestros Ascendidos.

## No Limiten el Poder de su Presencia YO SOY.

*Maestro Saint Germain*

Por favor, amados míos, lleguen a estar en contacto con esa gloriosa Presencia de la cuál Uds. son una esencia, "La Presencia Mágica." Sus poderes maravillosos y omnipotentes están deseosos y listos para actuar a través de Uds. en todo momento. Como ser humano, no podrían tener posibilidades de tratar de rehabilitar la raza humana. ¡Por supuesto que no! Pero ¡su Presencia puede! Su "Presencia YO SOY" infinita, individualizada los ha sostenido por innumerables momentos, y desea traer a su mundo las maravillas del Universo.

Cuando el alma encarna voluntariamente se desconecta a sí misma del contacto consciente con esa Presencia, el "YO SOY"continúa, en amabilidad y bondad, derramando corrientes de Luz y energía de Vida dentro de su corazón físico, para sostener su encarnación con el uso de la inteligencia, los sentimientos emocionales, el poder del pensamiento y la acción física.

Su Presencia y la mía no están limitadas en ninguna forma. Ellos son UNO en acción, en perfección gloriosa, todo-conocimiento y capaz de dirigir instantáneamente un millón, ó un billón de rayos de luz trascendente dentro de cualquier condición, lugar ó persona que requiera asistencia. ¿Uds. no elevarían su atención profunda y sincera a esa Presencia y hacerla sentir que ya están listos y deseosos de trabajar conscientemente con ella otra vez?

Cuando hacen esto, su Presencia volverá la atención hacia Uds., la corriente de Luz será ampliada y su capacidad para servir aumentará a través de la renovación de esa asociación. Desde el corazón de esa Presencia, pueden dirigir esos rayos poderosos de luz inteligente, incluyendo el Fuego Violeta, a toda la vida en todas las partes donde hayan podido ser heridos o por los que han sido heridos. Puede ir atrás en el tiempo desde el momento que las sombras de la creación humana empezaron primero a caer sobre esta Tierra querida. A su llamada, su Presencia con mucho gusto aclarará y balanceará en una hora, y quizás en solo un momento, cualquier deuda que hayan podido incurrir con cualquier corriente de vida, así esté encarnado ó no.

## Transmisión desde el Corazón del Amado Saint Germain

Amados niños de mi Corazón, es un gran placer y privilegio contribuir mi mensaje de Amor en los escritos de esta alquimia, el libro de "Las Siete Llamas Sagradas". En verdad, consideramos que esta publicación es un documento sagrado para el beneficio del género humano. Sepan, mis queridos, que al leer y estudiar el material contenido en cada página y párrafo de este libro, mi presencia y la presencia de los otros Chohans del los Siete Rayos, junto con aquellos de su amada familia Lemuriana de Telos, los acompañarán.

Uds. encontrarán en estos escritos todo lo que necesitan saber e integrar para calificar su Ascensión. Solamente si escogen aplicarse seriamente a la sabiduría presentada aquí y completamente lleguen a ser,.dejando ir todos los miedos y las ideas pre-concebidas que tienen en relación a su verdadera naturaleza, su camino ciertamente se desarrollará con la más grande Suavidad y Gracia. Uds. son aquellos, amados amigos, que crearon todas las dificultades y complejidades en el proceso de "llegar a ser otra vez" lo que siempre han sido.

Amados, dense cuenta que no es tan complicado y difícil llegar a ser un Maestro Ascendido si solamente se permiten, sin su resistencia usual, "ser" naturales en el flujo de su divinidad.

Un ser divino en una experiencia encarnada es realmente lo que Uds. son; es su derecho de nacimiento y su estado natural. Nunca han sido ¡ninguna otra cosa! Escuchen y permitan que la llamada de su amada Presencia YO SOY gobierne su corazón, gobierne su vida en confianza total, y dejen ir sus resistencias y miedos.

Es importante para mi hacerles notar que hemos estado observándolos a Uds. y a la humanidad muy estrechamente durante mucho tiempo. Desde nuestra perspectiva de Amor e Ilimitados, es obvio para todos "Nosotros" en este lado del velo, que la humanidad en general, incluyendo la mayoría de aquellos que han aplicado por la Ascensión en esta vida, comparten un problema común del cual no son conscientes. Así sea que deseen admitirlo ó no, el hecho sigue siendo que la mayoría, si no todos, tienen un gran miedo de su "Presencia YO SOY" y de abrazar su divinidad.

Han sido incansablemente programados a través de siglos y milenios por aquellos del lado de la sombra, los cuales han gobernado varios aspectos de su planeta, de tener miedo a aquello que no entienden completamente, y de rechazar o pelearlo. Sus almas están impresas profundamente con la firma errónea del miedo. También han sido impresos con la creencia de que son unos pobres pecadores, no merecedores del Amor, y ciertamente no merecedores de ser verdaderos "Hijos de Díos," igual que el Cristo dentro de Uds. que ahora está deseando expresarse. Todos han sido programados con los pensamientos y sentimientos de no merecer, de desesperación y desolación.

Ahora les pido que contemplen este estado de conciencia en su totalidad porque es su mayor obstáculo en la Ascensión. Les urgimos a sanar y transformar ese estado debilitante. Cuando sanen esas impresiones de parásitos en su conciencia y reconozcan completamente su verdadera naturaleza, será fácil percibir las maravillas de su divinidad y abrazarlas. Simplemente se calzarán en su divinidad como lo harían con un viejo zapato.

Yo soy consciente que para obtener la sanación completa y una transformación formal de la conciencia será necesario un trabajo de procesar y perdonar. Sin embargo, esta es la sanación requerida para pasar a través de todas las iniciaciones de los Siete Grandes Templos, "no tiene que ser difícil o doloroso." Es más, pueden hacer un juego de ello, percibiéndolo como la aventura más grande de todas sus vidas juntas y cabalguen la ola de la Ascensión en Alegría, Amor, Armonía y Paz, transformando todos los retos dentro de la Gracia Divina. En su mundo Uds. llaman a esto "coger los limones y hacer limonada."

Yo veo sus corazones, yo veo su fortaleza y debilidades y veo la ternura en cada una de sus almas. Sin embargo, yo veo y conozco que el mundo del mañana está siendo construido hoy a través de la conciencia de individuos DESEOSOS de sentarse a los pies de los Maestros y aceptar sus palabras, sus entendimientos, sus promesas, sus visiones y su verdad.

Contemplen, en el silencio de su propio santuario, el poder de Díos dentro de Uds. y permítanle transformar su mundo. Yo me comprometo a ayudarlos, porque ¡UDS. son mis representantes! Son la corriente de vida ¡que el género humano puede ver! Cuando se dedican a sí mismos en servicio para el beneficio de la humanidad, sus cuerpos, su mundo y la conciencia representan mis enseñanzas, mi mundo, mi verdadero ser y el ser de todos los maestros que han asistido a este planeta y su evolución.

Mis queridos, sepan que nosotros, la jerarquía, estamos dependiendo de Uds. para ser el espejo a través del cual han recibido la sabiduría a través de los años de mí y de los otros Maestros de esta hermandad Planetaria. En el nombre de Díos y su propia Presencia del YO SOY, yo les digo, "¡levántense en la maestría de su Divinidad! Permítanse llevar las Túnicas magníficas de Libertad que yo deseo otorgarles como mis representantes en el mundo exterior y en el cual deberán, en bondad y amor, colocar en los hombros de los hombres, mujeres y niños que han encarnado para ser parte de esta ¡Edad Dorada maravillosa de Iluminación"! Usen el poder del ¡Fuego Sagrado! cada día. ¿Quién de entre Uds. se va a levantar y SER? ¡Ya veremos!

Para aquellos que han visto dentro del futuro y han escuchado las palabras de los Maestros que hablan libremente de una Edad Dorada que está por venir, es muy placentero para el corazón y para la mente escuchar, y una esperanza para aquellos que están desesperados. Es su trabajo, mis queridos, manifestar esa Edad Dorada. Como maestros en nuestro reino, ya hemos logrado esto y lo vivimos. Ahora es su turno de demostrar suficiente maestría para crear esta Edad de Iluminación que tanto han estado esperado.

¿CUANDO van a empezar a exteriorizar esta Edad Dorada, la cual es mi responsabilidad como Chohan del Séptimo, manifestarla en este planeta? Es para aquellos de Uds. que se han despertado y aceptado la presencia de la jerarquía espiritual y las enseñanzas de los Maestros Ascendidos que yo busco para el comienzo de la Edad Dorada en la Tierra, en sus vidas, en sus hogares, en su trabajo y en su propio santuario. Uds. llegarán a ser un imán poderoso de atracción, atrayendo a las masas hacia Uds. Y sepan que al principio, ellos estarán más interesados en los frutos y la recolección de sus esfuerzos que en el proceso por el cual han obtenido su Victoria en la Luz.

Nosotros requerimos una multitud de Luz para brindar esta tarea ¡a su término! Para Uds. que son mis amigos yo les doy la tarea de iniciar "ahora" el establecimiento de la Séptima Edad

Dorada de armonía, paz, belleza, abundancia, perfección y verdadera Hermandad, a través del camino del Amor de ¡su propia Llama del corazón! recuerden que cada asunto de gran importancia ha tenido ¡humildes principios!

Yo soy Saint Germain, su hermano y amigo. Yo he venido a reclamar sus almas y los fuegos de su corazón para la victoria de la Edad de Acuario. Yo he establecido mis patrones para la iniciación de sus almas. YO ESTOY en el camino de la libertad, y YO SOY el Díos de la Libertad. Tomen ese camino y me encontrarán allí. Yo soy su maestro si así lo desean. Desde el ashram del Gran Templo Violeta, junto con el Templo de la Llama Violeta de Telos y su amigo eterno Adama, les enviamos bendiciones de alegría a través de los milagros de la Llama Violeta de Transformación y Libertad!

## Invocación a la Llama Violeta

# *Mantel del Fuego Violeta*

Desde el Señor Díos de mi Ser, YO SOY ese YO SOY, yo llamo al amado Saint Germain y sus legiones de ángeles cósmicos de la Llama Violeta para venir a infundir y saturar mi ser con todas las actividades del Fuego Sagrado, especialmente la Llama Violeta de Transmutación y Libertad.

- Vísteme con tu manto Cósmico del Fuego Violeta de Transmutación, Sanación, Libertad, Diplomacia y la Ciencia de la verdadera Alquimia.

- Disuelve y consume de mi ser todo lo que no refleja perfecto Amor y Armonía.

- A través de la Llama de la Piedad, transmuta todos los errores del pasado y las barreras para mi Ascensión.

- Protege a los jóvenes de este mundo en un aura de Llama Violeta.

- Con mucha gratitud, yo pido que esto sea manifestado en el nombre Sagrado de Díos. Que así sea, ¡Amado YO SOY!

*(Repetir toda la invocación tres veces)*

## Discurso de Adama con el Maestro Saint Germain

*Adama nos habla acerca del Rayo Violeta, el Rayo de Transmutación, acompañado por la presencia del Maestro Saint Germain. Una meditación maravillosa es ofrecida al final, dándonos instrucciones de cómo usar la Llama Violeta en nuestro camino personal de maestría.*

*Aurelia* - El Rayo Violeta representa la energía del cambio, alquimia y libertad. Me gustaría invitarlos a que se abran para una comunión de corazón a corazón con Adama y el Maestro Saint Germain. Adama es totalmente el doctor del corazón y también lo es Saint Germain. Él al hablar, se dirigirá directamente a sus corazones, activando el nivel de sanación. Esto es básicamente lo que a Adama le gusta hacer. También puede conectarlos con Telos en más de una forma.

*Grupo* - *¿Podría Ud. explicar quién es Saint Germain para aquellos que no están familiarizados con este maestro de la Alquimia?*

*Aurelia* - Saint Germain es y ha sido por muchos años el guardián de la Llama Violeta. Dentro la Jerarquía Espiritual, él mantiene la posición del Chohan del Séptimo Rayo. Esto quiere decir que es el guardián de la llama Violeta de la Libertad y Transmutación para el planeta, que es la acción del Séptimo Rayo.

Fue muy conocido en Francia, antes de y durante la revolución Francesa como "El Conde de Saint Germain." Este ser inmortal vivió y fue visto regularmente por muchos, durante más de trescientos años, siempre manteniendo la apariencia de un hombre de 40 años. Fue llamado "El Hombre Maravilloso de Europa," hablaba varios idiomas, tocaba todos los instrumentos musicales, y demostraba frente a sus amigos muchas actividades de alquimia. También fue conocido como aquel que se materializaba en un lugar, se desmaterializaba en pocos momentos y volvía a aparecer cientos de millas lejanas unos pocos minutos después. Tiene un sentido del humor muy alegre, y es excepcionalmente articulado, especialmente en el lenguaje de Inglés. Saint Germain siempre ha sido una delicia verdadera para mi alma en cualquier momento que he tenido contacto o conversaciones con este amado maestro. Solamente oír o mencionar su nombre hace que mi corazón cante con alegría.

El Maestro Saint Germain es aquel que ha estado sosteniendo la Llama de la Libertad para el planeta durante más de 70.000 años. Es un maestro asombroso y dedicado al servicio de la humanidad. Como el maestro Jesús fue el Avatar de la edad de Piscis, Saint Germain está ahora tomando el paso adelante por los siguientes 2.000 años para ser el Avatar de la Edad de Acuario. Está siendo completamente apoyado por Jesús/ Sananda y nuestra familia de Lemuria de Telos, así como también por la jerarquía espiritual de este planeta, esta galaxia y el universo. Algunos maestros mantienen ciertos cargos por un tiempo, y luego se encargan de una nueva posición, dejando la posición anterior para alguien con iluminación para tomar su lugar.

*Grupo - ¿El Maestro Saint Germain también encarnó como el Gran Merlín de Camelot?*

*Aurelia* - Oh, si, el fue Merlín en el tiempo de Camelot en Inglaterra. Merlín fue un mago noble, no en el sentido de jugar con trucos mediocres, pero un gran maestro alquimista. Desafortunadamente, Merlín ha sido presentado en tantas películas y escritos, por aquellos no conscientes, como un mago de dudosa reputación. Esa no es la verdad de quién él fue como Merlín. Merlín fue uno de los más grande alquimistas de todos los tiempos, y Saint Germain es uno de los más grandes maestros que ha servido a este planeta casi desde su creación.

Todos los otros maestros le dan gran honor por el servicio que ha prestado al planeta con la dispensación de la Llama Violeta. La Llama Violeta es una de las llamas más importante para la redención, transmutación y libertad. Es como un fuego de amor que limpia. Saint Germain dijo una vez que si él fuera a hablar de la Llama Violeta por un mes completo, veinticuatro horas al día, siete días de la semana, no podría cubrir todos sus beneficios. Vamos a oír lo que Adama tiene que decir.

*Adama* - Buenas noches mis amados amigos, este es Adama de Telos. Esta noche como siempre, yo tengo mi equipo regular de doce maestros conmigo. Nosotros tenemos también el honor de tener al Maestro Saint Germain presente con nosotros como participante. Aún cuando yo estoy hablando a través de Aurelia, la energía de Saint Germain está mezclada con la mía. Es un gran privilegio para nosotros, porque el maestro Saint Germain es amado muy profundamente en los planos interiores y altamente respetado por todo el mundo a través de todo el cosmos. El pasa mucho tiempo con nosotros en Telos. Todos nosotros trabajamos juntos para traerles las energías de la ascensión para el planeta y la humanidad.

Yo deseo darles alguna explicación acerca del Séptimo Rayo, y si tienen alguna pregunta siéntanse libres de interrumpir para que de esta manera podamos crear un diálogo.

La Llama Violeta es una combinación del rayo azul y rosado. No es un rayo por sí mismo. Es una combinación del azul para el poder y el rosado para el amor, uniendo las energías del masculino divino con el femenino divino en una maravillosa acción de alquimia espiritual. El principal papel de la Llama violeta es la transmutación, un término alquímico que quiere decir crear cambios positivos. Por ejemplo, al invocar y trabajar con la Llama violeta, pueden transmutar grandes cantidades de karma o energía mal calificada de esta o pasadas encarnaciones.

Una vez la energía es transmutada, nunca más tendrán que trabajar con ella en su vida presente, porque esa energía ha sido borrada y olvidada dentro del amor y la alegría cuando usan el Fuego Violeta. Al trabajar con el Rayo Violeta, la energía es irradiada y disuelve aquellas energías fuera de balance en su campo aúrico, así como también en sus mentes conscientes e inconscientes. El Rayo Violeta puede sanar muchas condiciones en sus vidas.

La Llama Violeta puede disolver karma, una vez que tienen completo entendimiento de las experiencias vividas y los patrones de energía creados con estas energías, también pueden crear belleza maravillosa porque está compuesto de las frecuencias del poder y el amor. También se incluye en la actividad del Rayo Violeta, la Llama del perdón y la compasión, las cuales son necesarias para crear armonía y manifestación en su vida.

Hay otros atributos de la Llama Violeta, tales como la Llama del Consuelo y la Llama de la diplomacia y ceremonia. Estas son todas actividades del Séptimo Rayo. En cualquier momento que crean consuelo, no importa qué forma toma, están empleando una actividad del Séptimo Rayo. Nosotros también llamamos a la Llama Violeta, la Llama de la Libertad y el Amor. cuando ganan libertad espiritual, llegan a ser ilimitados, y todos los atributos de su divinidad están en su poder. Esto es libertad total, no solamente libertad para una cosa. La Llama Violeta es una herramienta vital para su progreso espiritual y su evolución.

*Aurelia - ¿Qué quieres decir exactamente cuando hablas del proceso del despertar espiritual? ¿Cómo podemos empezar a usar la Llama Violeta para sanarnos y sanar nuestras vidas?*

*Adama* - El Séptimo Rayo puede ayudar en la purificación de las sustancias y las energías de vida. Hay muchas maneras de usar la llama Violeta de forma efectiva y constructiva. Pueden usarla a través de oraciones e invocaciones; pueden también visualizarla en su meditación y poner su intención de recibir una infusión de esta energía en todos los aspectos de su ser.

Pueden respirarla dentro de cada célula, átomo y electrón de su cuerpo. Pueden limpiar y purificar cada pensamiento y sentimiento en su campo aúrico. Sean creativos y empiecen a escribir sus propias oraciones e invocaciones para ello. Cuando estas vienen del fuego de su propio corazón, son más poderosas que aquellas que han sido escritas por otras personas. Las oraciones escritas por otros son más apropiadas para aquellos que las escribieron. Trabajen con ellas cada día y empiecen a crear milagros de amor en sus vidas.

### *Invocación a la Llama Violeta*

Como un ejemplo, *"En el nombre del YO SOY de mi ser, en el nombre de Díos, yo ahora llamo la acción de la Llama Violeta de transmutación, compasión y perdón en mi campo aúrico, para la limpieza y purificación de cada pensamiento y sentimiento en mi plexo solar y en todos mis chakras. Yo pido la acción del Fuego Violeta de penetrar cada célula, átomo y electrón de mis cuatro sistemas de cuerpo en este momento y a todo momento cada día de mi vida, 24 horas al día, 7 días de la semana, para la sanación de todas las distorsiones en mi campo de energías de malos entendidos en el pasado y en el presente. Pido a las energías del Fuego Violeta que empiecen a sanar todas las distorsiones en mi cuerpo físico, emocional y mental. Con mucha gratitud, ahora pido por la acción del Fuego Violeta que se manifieste en mi campo de energía con todo el poder. Que así sea."*

Pueden usar este tipo de invocación ó crear la suya propia. Se sientan en silencio visualizándola, respirándola. Usen la respiración en una forma consciente y sostenida, tráiganla dentro de su campo aúrico en una forma más tangible y creativa. Luego pidan a la Llama Violeta que sostenga esta actividad por el resto del día y continuará su acción por Uds. mientras están haciendo sus otras actividades diarias. La acción continuará sin interrupción siempre y cuando permanezcan en armonía. Siempre que invoquen cualquier llama de Díos y piden que su momento sea sostenido, su actividad continuará hasta que se enreden en una discordia en su mundo de sentimientos. Esa vibración la paraliza hasta que vuelvan a estar en paz dentro de Uds.. y la invoquen otra vez. Mientras se mantengan armonizados con sus pensamientos y sentimientos, la llama continuará trabajando. Si llegan a una situación de discordia, invoquen la llama otra vez para recuperar su balance emocional.

Mientras más la visualicen y mientras más se conecten con ella en su corazón en su meditación, más momento están levantando. Hubo un tiempo en que la gente no deseaba meditar, durante el siglo pasado. Así que nosotros formulamos una serie de decretos donde muchas personas invocaban la Llama Violeta ó la llama de los otros rayos diariamente y algunas veces por largas horas. Desgraciadamente para muchas personas, este tipo de devoción llegó a ser un rito mental, faltando el verdadero fervor de sus corazones.

Aún cuando estas personas tenían buenas intenciones y eran sinceros, es mejor decir un decreto u oración solamente pocas veces con todo el fervor que su corazón puede reunir y tomar el tiempo necesario para crear la alquimia de amor. Cuando hacen una invocación u oración, permítanse a sí mismos sentir completamente su energía en su corazón y cambiarla con amor; entonces permitan a la energía hacer su trabajo perfecto.

Hay varios miles de personas que en el último siglo hicieron su ascensión invocando la Llama Violeta cada día durante años y años. Ellos la invocaron con mucho amor y fervor en sus corazones sin realmente haber sabido lo que estaban transmutando. Ellos permitieron a todas sus sombras salir a la superficie de su conciencia, sin juzgarlas, sino más bien rindiéndose a las energías y bañándolas en el Fuego Violeta.

Estas queridas almas no tenían acceso a todas las herramientas e información que Uds. ahora tienen. Fue a través de la fe y consistencia que ellos continuaron hasta que pudieron exhalar su último aliento humano. Al seguir este proceso gradual ellos cambiaron, poco a poco, todas las energías negativas de muchas vidas, pasadas y presentes, en pura luz líquida dorada. Cuando ellos pasaron al otro lado del velo hicieron su gloriosa ascensión sin retraso. Hoy en día, ellos están entre nosotros, usando las túnicas de Luz y disfrutando de toda la recompensa de la quinta dimensión.

*Aurelia* - *¿Tienes que ser consciente de lo que estás transmutando?*

*Adama* - No siempre. Es bueno saber en algunos casos, pero no es un requerimiento. Lo que es importante es que derramen su amor en ello. Siempre es el amor, el perdón y la compasión derramado en una situación que lo transmuta en algo mejor, al cambiar la situación negativa en una positiva, y al ganar la sabiduría que esas energías están tratando de enseñarte. Si tienen problemas con alguien, manden olas y olas de la Llama Violeta a él ó ella. Al mandar olas de amor, compasión, perdón y bendiciones a una situación, llega a ser imposible para ello de mantenerse igual; la ley universal requiere solución para cualquiera que recibe amor y bendiciones.

***La actividad de bendecir es también una forma de transmutación, una actividad del Séptimo Rayo.***

Al empezar a bendecir todo lo que se manifiesta por debajo

de la perfección divina en sus vidas, están transformando o transmutando situaciones que aparentan ser negativas en algo mucho más positivo; crean la solución divina y la situación de libertad que se manifiesta para todo el mundo. Esto es lo que la transmutación hace; crear una transformación que hace que todo el mundo sea un ganador.

Aurelia - *¿Cómo alguien teniendo un problema con su esposo/a, o malos sentimientos hacia su jefe o cualquier otra persona, puede utilizar la Llama Violeta para transmutar o sanar su situación?*

Adama - Primero que todo, tienen que estar desapegados del resultado. Si empiezan queriendo hacer cambios o deseando un resultado específico, lo más seguro es que van a perder el barco. Es siempre más sabio pedir por la solución divina perfecta. Si desean ser específicos acerca del resultado que desean crear es importante que "permitan" el espacio para un resultado distinto, agregando a su oración o intención: "esto ó algo mejor, de acuerdo a la voluntad divina." Su ser superior ve y sabe la imagen más grande que está vedada para Uds. Por ejemplo vamos a decir que un matrimonio parece estar terminando. En ese momento Ud. dice, "¡Ay, Díos mío! yo recé e invoqué tanto a la Llama Violeta dentro de esta situación, hice todo lo que pude para ser amoroso, con compasión y para traer una resolución con amor y perdón, y ahora parece que tengo una situación con más retos."

Ahora contemplen esto; pregúntense a sí mismos si el final del matrimonio fue un fracaso o una victoria espiritual. Yo diría que si han hecho lo mejor que han podido, y la situación no termina de la forma que estaban esperando, quizás fue una relación kármica que había llegado a su final. Quizás su ser superior está ahora listo para abrir su vida para algo mucho más apropiado para su camino y su felicidad. La disolución del matrimonio en ese caso fue ciertamente un suceso espiritual, no un fracaso. Porque un trabajo interno de fina calidad fue realizado, se ha ganado el derecho de moverse hacia algo que es más satisfactorio.

Dos años después, se encuentra en una nueva relación maravillosa, donde es mucho más feliz y donde hay mucho más afinidad y armonía. ¿Se va a recordar en ese momento la piscina del Fuego Violeta que habían invocado previamente lo cual creó esta nueva avenida en su vida? Hay momentos cuando las situaciones kármicas son resueltas y ha llegado el momento de moverse. Esta es la forma en que sus oraciones son respondidas; Ud. está ahora "libre" para experimentar algo mejor, versus quedándose en una relación que ha alcanzado su final. En ese momento, es importante dejar ir las situaciones que no les sirvan más. La solución divina puede no siempre, al principio, ser lo que desean, pero cualquier cosa que es creada siempre será para su avance espiritual y siempre traerá el mejor resultado. La llama Violeta es también conocida como el "trabajador milagroso."

Cuando bendicen la persona con la que tienen problemas, un esposo/a, vecino, o su jefe, o alguien en el ambiente de su trabajo, o un familiar, visualícenlo bañado en la vibración de amor de la Llama Violeta. Reconozcan el derecho de esa persona de llegar a ser libre de sus propias cargas y despertarse a su potencial total. Hagan esto con compasión y perdón. También usen la llama de la diplomacia en todas sus interacciones con otros; esto es parte de la actividad del Séptimo Rayo. Si empiezan a usar el Séptimo Rayo con sus muchos atributos y no tienen una agenda personal, que no sea otra que el deseo de que haya la mejor solución de acuerdo a la voluntad divina, se asombrarán de los milagros que pueden manifestar en sus propias vidas y en las vidas de aquellos que están alrededor suyo. Así es como la paz será creada en la Tierra.

*Aurelia* - *Muchas personas se van a encontrar que es difícil no tener una agenda personal, porque ellos quieren que suceda de acuerdo a sus propios deseos.*

*Adama* - La mayoría están tan enfocados en el resultado final de lo que quieren que tienden a perder de vista, lo que necesitan soltar para que puedan dejar ir y dejar al Díos interno hacer su trabajo perfecto. Las varias llamas de Díos contienen inteligencia divina o conciencia. Ellas están conscientes del cuadro más grande y saben lo que es mejor para Uds. Hay literalmente cientos de miles y millones de guardianes y maestros trabajando con cada llama.

Cuando quieren que sea de acuerdo a sus propios deseos es como decir, "OK, Díos, yo quiero esto, pero lo quiero en mi forma, aunque esto no sea lo mejor para mí." Si insisten, no se sorprendan de obtenerlo. Díos siempre desea darles los deseos de su corazón, y comprobarán bien pronto que esto no era realmente lo que necesitaban. Estas llamas desean traerle el resultado más magnífico en sus vidas, pero lo que están determinados a tener, será lo que se manifestará. Cuando están determinados a tenerlo en su propia forma, el universo se los dará y pueden darse cuenta varios meses o años más tarde que perdieron la oportunidad para un resultado mejor. Recuerden, la falta de confianza fue la energía de la caída original de la conciencia en el género humano, y la experiencia que Uds. tuvieron con la falta de confianza ha sido realmente muy dolorosa. Esta necesidad de siempre querer estar a cargo, en lugar de estar "en permitir" ha creado mucha discordia. El aspecto superior de "Uds." los ama totalmente y no desea más que su felicidad y traerlos de regreso al hogar, a la iluminación y maestría.

La gente tiene miedo de experimentar la noche oscura de su propia creación. Lo que ocasionó problemas en primer lugar, fue la falta de confianza. Cuando la gente decidió que no deseaban más confiar en Díos para alimentarlos tres veces al día, y decidieron conseguir sus propias comidas, una desalineación fue creada. Cuando pararon de escuchar la voz de su propio espíritu, se separaron a sí mismo del flujo de lo Divino. Ahora, varios miles de vidas después, no hay más confianza en su unión entre el Espíritu Divino y la Voluntad, y todo el mundo vive en el miedo y la falta de algo. Ahora, es su momento, a través de la experiencia de aceptación, de recuperar y aprender otra vez la energía de confianza, a pesar de las apariencias. A través de la intención y el dejar ir, a través del permitir todo lo que es, las "piedras" que Uds. han creado que bloquean la "Puerta para Todo" serán disueltas y Uds. serán libres de "dar el paso." ¡Finalmente estarán en el hogar!

*Aurelia - ¿Es este el balance con la sanación que necesita establecerse en todos nuestros corazones y almas?*

*Adama* - Exactamente, muy pronto la humanidad va a empezar a aprender sus lecciones en forma más dramática. Eventos serán transpirados en el planeta requiriendo que las personas hagan la elección más grande en muchas vidas. Su Tierra Madre muy pronto no va a tolerar el tipo de separación que ha transpirado aquí en Su Cuerpo y la gente va a tener que reformarse o irse. El orden del nuevo mundo para este planeta no es lo que sus líderes mundiales están proyectando, pero será una vida en unión total con la presencia del Díos interno y con el Creador. El orden Divino será restaurado aquí en muy pocos años.

Eventos que aparentan ser injustos o no equitativos son usualmente espejos de la conciencia de la gente. Ellos son siempre creados con las energías de la conciencia colectiva. Por ejemplo, en su país muchas personas no les gusta su gobierno y no quieren envolverse en cualquier actividad política porque es percibido como "muy negativo." Uds. tienen libros, más libros, páginas de internet, más páginas de internet, describiendo todo lo que está erróneo y la corrupción de su gobierno.

Lo que está escrito y presentado al público es usualmente verdad, y aún cuando sus gobiernos son corruptos hasta el mismo centro, necesitan recordar que ellos siempre van a ser el espejo de la "conciencia" de la gente que ellos gobiernan. ¿Qué les dice eso? Cuando la gente colectivamente eleva su conciencia y abrazan las leyes universales de amor, verdad y armonía, no atraen más ese tipo de gobierno que tienen ahora. Esto no es solamente en USA, pero también se aplica a todos los países en este planeta. Cuando un cataclismo ocurre, también se aplica esa verdad. Cataclismos no son más que la forma de la naturaleza de limpiar el desbalance y las toxinas creadas por la conciencia del colectivo. Uds. no le hacen honor a la Tierra, ensucian su cuerpo, crean cada vez más contaminación y usan sus recursos sin sabiduría. Al hacer esto como un colectivo, crean grandes piscinas de energía fuera de balance que más pronto o más tarde tienen que ser descargadas y limpiadas por los cataclismos que experimentan con frecuencia en varios lugares en el planeta.

Cuando estos cataclismos de balance se manifiestan, ellos están cargados con ola tras ola de Llama Violeta, llena del fuego de Díos que purifica. Después de una guerra, hay una cantidad tremenda de karma personal y planetario que es balanceado. Un entendimiento más grande se alcanza, aún cuando puede que no sea aparente cuando esta verdad es vista a través de los ojos de aquellos que todavía tratan de controlar su libre voluntad. Cierto, mucha gente ha sufrido, pero ellos también han balanceado su karma personal en el proceso. Después de la Segunda Guerra Mundial cuando hubo tanto balance de karma en el planeta, esto abrió el camino para la expansión, nueva tecnología y la gran comodidad que disfrutan hoy.

Aurelia - *¿Nos estás tratando de decir que todo lo que experimentamos en nuestras relaciones personales, o como sociedad, una cultura y país, son todos espejos creados para reflejar el ser y la conciencia colectiva?*

Adama - Todo lo que pasa, sea a un nivel personal o global, ya sea una erupción volcánica, un terremoto, un disturbio en una de sus ciudades, o una guerra, siempre refleja la energía fuera de balance o reprimida que las personas están aguantando dentro de sí mismos. Refleja la rabia, los miedos, el engaño, la avaricia, las injusticias humanas, el dolor, etc. que la gente está aguantando dentro de sus almas. Ellas no son más que el espejo de lo que está fuera de alineamiento al nivel humano.

Aurelia - *La mayoría de la gente no entiende cómo creamos nuestra realidad. ellos dicen que si ellos crean su propia realidad, crearían su cuerpo perfecto, la casa o pareja, dinero en abundancia, etc.*

Adama - El problema es que la gente no ha entendido todavía o no se han dado cuenta de cómo están creando. También sus creaciones no necesariamente salen de esta vida solamente; el "karma" o la falta de entendimiento tiene que ser aclarado antes de que lo nuevo y perfecto pueda ser manifestado. La gente crea constantemente con sus pensamientos y sentimientos de momento a momento, con sus palabras y acciones y los diálogos internos en la mente durante cada hora que están despiertos. La gente puede decir, yo quiero el cuerpo perfecto o matrimonio, pero los pensamientos y sentimientos que ellos crean la mayor parte del tiempo no apoyan sus deseos. Si alguien fuera a mostrarles, momento a momento, lo que son sus pensamientos y sentimientos y cómo están fuera de balance en la creación de su realidad, entenderían por qué no tienen el cuerpo saludable y perfecto que desean, o la relación perfecta y la abundancia que quieren.

La gente tiene que realmente llegar a ser consciente de sus pensamientos, sentimientos, palabras y acciones. Las palabras son muy poderosas y constantemente están reforzando su energía con sus sentimientos. Sin embargo las palabras no siempre son iguales a sus sentimientos. Pueden decir yo quiero más dinero, pero por dentro se sienten pobres. Desean estar envueltos en una relación mejor, pero por dentro se sienten que no lo merecen y no están dispuestos a sacar la maleza del jardín de su alma para poder atraer ese compañero perfecto. Dicen, yo quiero un cuerpo perfecto, pero por dentro no se aman a sí mismos. No aman a su cuerpo como es y no están aceptando las lecciones que están aprendiendo con su cuerpo en su forma presente.

El cuerpo solo puede responder al amor y casi todos Uds. no aman o le dan cuidado a ese cuerpo como nosotros lo hacemos aquí en Telos. Muy pocos se aman a sí mismo lo suficiente para nutrirse a sí mismos y a su cuerpo en forma apropiada y consistente. La mayoría no le dan a su cuerpo la nutrición adecuada que necesita para rejuvenecerlo y para irradiar la salud perfecta. ¿Cómo entonces esperan crear un cuerpo perfecto para Uds.? Si están constantemente reafirmando lo que no quieren, en lugar de lo que quieren.

Uds. viven en una casa de espejos y el universo les da de vuelta mucho de lo que crean a través de sus pensamientos, sentimientos y palabras. Cuando hacen el decreto "yo estoy enferma y cansada de esto o aquello," están creando una afirmación muy poderosa que les devuelve las energías que acaban de mencionar. Están constantemente creando afirmaciones de lo que no quieren. Estén conscientes que el universo los escucha y le da honor a lo que dicen. "Si ella está diciendo que está enferma y cansada, y continua afirmándolo con tanta fuerza y poder, debe ser que es lo que ella quiere. Vamos a dárselo." Y así entonces reciben más de lo mismo y el espejo se sigue reflejando.

Aurelia - *Ahora, en término de usar la Llama Violeta para balancear karma, ya que obviamente todavía tenemos que aprender las lecciones del karma. ¿Cómo aprendemos las lecciones si simplemente usamos la Llama Violeta para liberarnos de ella?*

Adama - La Llama Violeta no "solamente los libera." Ese no es su propósito. La Llama Violeta los asistirá en balancearlo, pero les enseñará también las lecciones que tienen que aprender, pero en una forma más suave. Si permanecen en la resistencia a las lecciones y el entendimiento que sus retos y situaciones les enseñan, el uso de la llama Violeta puede que no les traiga el resultado deseado. No puede ser mal usada para prevenirlos de ganar la experiencia y sabiduría que son, este es el verdadero significado del karma.

Sin embargo hay una diferencia entre aprender una lección en una forma suave, desde la guía sabia que abrazan, que vivir a través de una muy difícil experiencia para poder recibir el mismo entendimiento. ¿Se dan cuenta de la diferencia? La Llama Violeta puede traerlos a un espacio donde pueden aprender las lecciones en una forma muy amorosa y suave, donde pueden aprender con comodidad y gracia. No tienen que ser tan doloroso o difícil como cuando están escogiendo experimentar con sus lecciones en este momento. Su resistencia a abrirse a la forma más elevada y más fácil es lo que crea las asperezas en sus vidas.

Otra invocación a la Llama Violeta: Esta es otra forma que pueden usar la Llama Violeta para el mundo alrededor de Uds. Definitivamente pueden hacer una invocación y decir: *"En el nombre de la Gran Presencia YO SOY, yo llamo al amado Saint Germain para saturar el mundo con olas y olas del Fuego Violeta, para infundir cada partícula de vida, cada hombre, mujer y niño en este planeta en un campo aúrico de Llama Violeta para protegerlo y despertarlo. Yo le pido que esta acción sea sostenida hasta que la perfección sea restaurada. Y que así sea."*

Uds. pueden hacer esta invocación en sus oraciones diarias y llamar a los millones de ángeles de la Llama Violeta que están esperando su petición para ir a trabajar. Envíenlos a todas partes para llenar el mundo con el Fuego Violeta. A los ángeles no se les está permitido interferir en su mundo a menos que la llamada es realizada desde su plano. Envíenlos a trabajar; ellos están esperando para responder a sus oraciones. Los ángeles de la Llama Violeta pueden literalmente inundar el planeta con el Fuego Violeta y reducir mucho el dolor. En su vida diaria, pídanle que inunden su mundo personal con la energía de la Llama Violeta.

*Aurelia - Parece muy importante enviar la energía de esa llama afuera a cada hombre, mujer y niño en el planeta, y con nuestros corazones inundar la tierra con esa energía.*

*Adama* - Si, y no se olviden de los animales, los árboles, los elementales, los espíritus de la naturaleza y el reino de las plantas. Los elementales, con frecuencia están en la necesidad de su asistencia, su amor, su apoyo y sus invocaciones a la Llama Violeta para poder ser capaces de mantener el balance en este planeta. Ellos lo necesitan ahora más que nunca durante este tiempo de transición. Los elementales están bien envueltos en asistir al planeta dentro de la octava elevada; ellos son sus ayudantes. Mientras más reciben de la Llama Violeta y del amor desde la humanidad, más suave será la transición para la Tierra y todos sus reinos que están viviendo en su cuerpo.

*Aurelia - Adama, ¿los Lemurianos usan la Llama Violeta en Telos para mantener el nivel de perfección que todos Uds. experimentan allí?*

*Adama* - Puedes estar segura de que lo hacemos. Nosotros usamos las energías de la Llama Violeta constantemente. En varios templos, las energías de los fuegos sagrados son perpetuamente invocadas por los miembros de los sacerdotes y por la gente de nuestra comunidad. En nuestro templo principal, el templo de Ma-Ra, hemos consagrado un área a cada una de las siete llamas. Nuestra gente toma turnos atendiendo y nutriendo aquellas llamas todo el tiempo. Nosotros vivimos en la conciencia de esas llamas y constantemente abrazamos sus energías totales, como resultado somos bendecidos más allá de cualquier medida por la vida.

Fuera de Telos, en el área de la Ciudad Lemuriana de Luz etérica, tenemos templos consagrados para cada una de las llamas sagradas principales. Estos templos son bien grandes y los seres viviendo en estas áreas nutren las llamas con su amor, devoción e invocaciones todo el tiempo. La población de la quinta dimensión es bien grande; los maestros y ángeles del fuego sagrado junto con los sacerdotes de esos templos toman turnos atendiendo e invocando las cualidades y atributos de estas llamas. Ellos hacen eso para ellos mismos, para el planeta, para la humanidad y para la energía requerida para mantener e incrementar el nivel de perfección de las dimensiones en las que ellos viven.

Este tipo de ritual, mis queridos, es hecho en cada dimensión. Los ángeles de los fuegos sagrados y lo ángeles de varios coros se unen en apoyo de las muchas llamas que nosotros nutrimos y esto es lo que hace a las dimensiones más elevadas tan bellas y maravillosas para vivir en ellas. Esta actividad fue también llevada en todos los templos en el tiempo de Lemuria, Atlantis, Egipto y todas las anteriores edades doradas.

Pronto llegará a ser importante que en la superficie empiecen a estar involucrados en la nutrición y la expansión de estas llamas, primero dentro de Uds. mismos y por el planeta. Nosotros hemos hecho esto por nosotros, pero también en su beneficio por siglos. Pronto, será requerido que aquellos en la superficie que aspiran a ascender, tomen el paso dentro de una madurez más espiritual. Van a ser requeridos de traer su propia contribución personal a estas llamas para la humanidad y para el planeta. Es un requerimiento de la quinta dimensión. ¿Están listos para una meditación ahora?

***Meditación***

## Viaje al Templo de la Llama Violeta en Telos

### *Con Adama y el Maestro Saint Germain*

Yo ahora les pido que se centren en su corazón y establezcan su intención de ser llenados con el amor de su presencia divina. Lo pueden hacer de esta manera: *"En el nombre del YO SOY el que YO SOY, desde el Señor Díos de mi ser, yo pido ahora que cada célula, cada átomo y cada electrón de todos mis cuerpos sutiles, cada partícula de vida de quién yo soy en todas las dimensiones y estados de conciencia, sean totalmente llenados con las maravillas y las energías milagrosas de la Llama Violeta de la Libertad del Amor. Yo ahora pido ser llenado una y otra vez, veinticuatro horas al día, cada día de mi vida." (Inhalen.)*

Al estar siendo llenados con las energías de la Llama Violeta, establezcan sus intenciones de venir en un viaje con nosotros y con su ser superior al bello Templo de la Llama Violeta en la quinta dimensión dentro de Telos. Este templo tiene una estructura etérica física y nuestra gente puede tener acceso a el en cualquier momento; y también Uds. en su cuerpo de luz. En este templo, la Llama Violeta arde perpetuamente, nutrida por el amor y la devoción de nuestra gente, bendiciendo la vida, bendiciendo al género humano y al planeta. Este es un lugar donde el Maestro Saint Germain pasa mucho tiempo con su alma gemela Portia y con legiones de ángeles de la Llama Violeta, recargando y atendiendo las energías de la Llama Violeta para este planeta.

Continúen respirando lo más que puedan, para que puedan traerla de regreso con Uds. a su cuerpo físico cuando regresen a la conciencia total. Ahora, veanse parados en un cuarto largo circular con techos altos, donde la Llama Violeta está presente en todas partes. Las paredes están hechas de pura amatista violeta y el piso es también hecho de cristal amatista de una textura más suave y de un color más pálido. Penetrando a través de las paredes de amatistas ven un gran número de luces con tonos violeta que les da la sensación de una visión mística de estrellas. El cuarto es brillante y ven docenas de fuentes de todos los tamaños y formas emitiendo cada matiz posible del color Violeta en un juego mágico de colores y tonos.

Las hadas del agua se divierten mucho jugando con estas energías; observen como muestran exultantes su alegría juguetona. Las hadas de las flores están ocupadas creando flores bellas de todos los matices blanco, dorado y violeta con esta energía de luz. Veanlas como les lanzan algunas a Uds. como forma de bendecirlos y darles la bienvenida. Únanse para tomar parte de su alegría y felicidad. También dense cuenta de la multitud de ángeles de la Llama Violeta tendiendo el Fuego Violeta con su amor y adoración.

El Fuego Violeta no es caliente; es básicamente en el lado frío. Hay varias sillas en el cuarto y le pedimos que cada uno de Uds. escojan la silla que les atrae más, donde se sienten más confortable. Las sillas están hechas de cristal puro de violeta y debajo de cada una está una llama violeta elevándose para envolverlos. Al arder desde abajo, está entrando e infundiendo cada parte de su cuerpo a través de los chakras inferiores. También hay otra llama bajando desde arriba penetrando su chakra de la corona e infundiendo cada célula de su cuerpo.

Al respirarlo dentro de su corazón conscientemente, están siendo llenados con la Llama Violeta de la Libertad como nunca antes. Hay varios ángeles de la Llama Violeta rodeando a cada uno de Uds., derramando copas de amor y copas del Fuego Violeta dentro de sus campos de energía y los varios aspectos de su vida necesitando sanación. La experiencia va a ser diferente para cada uno de Uds. Continúen respirando la energía. Ahora vean al Maestro Saint Germain con su alma gemela Lady Portia y Lady Kuan Yin, la diosa de la Caridad y Compasión, llenándolos con su amor e imprimiendo su campo aúrico con la llama de la compasión, la cual es también una energía del Séptimo Rayo.

Ahora ábranse a un nivel más grande de compasión para su propia sanación y para la sanación de aquellos que Uds. aman. A cualquier cosa que sienten que necesita sanación en su vida, invoquen las energías de compasión y perdón dentro de ello y permitan los cambios que desean que tome lugar. Quédense en ese estado de felicidad todo el tiempo que deseen. Hablen con nosotros, hablen con Saint Germain ó Kuan Yin, y pongan sus intenciones para sanarse completamente, para sanar todos los traumas del presente y el pasado. Este cuarto está lleno de una energía poderosa y sanadora, al sentarse y bañarse en ella, sientan las energías oscuras siendo transformadas en luz. Dondequiera que ha habido problemas, trauma o dolor, sientan la energía empezando a levantarlo y disolverlo.

Sientan una reducción de densidad y cuán ligeros están llegando a ser. Sientan la ligereza y la sensación de alegría infundiendo su ser. Al permitirse sentir más alegría, disminuyen sus cargas. Permitan a este sentimiento de ligereza, a esta belleza, a este amor y poder que los nutra. Continúen respirándolo. Conscientemente pidan a la Llama Violeta lo que les gustaría que hiciera por Uds. Algunas veces, entre su pedido y la realización de su pedido, un proceso de limpieza tiene que tomar lugar, pero paso a paso están trabajando hacia su victoria. No se sientan apurados, tomen todo el tiempo que necesiten.

Cuando se sientan listos, miren a su alrededor y vean a guías, maestros y ángeles sonriéndoles, deseosos de asistirlos si tienen alguna pregunta. Los ángeles, por cierto, especialmente aquellos que trabajan con el género humano, vienen aquí para recargarse con la vibración de la llama Violeta varias veces a la semana y con frecuencia diariamente. La energía fuera de balance en el planeta contamina sus campos energéticos y ellos vienen aquí para limpiarse y revitalizarse. Nosotros los invitamos a que hagan lo mismo. Quédense con nosotros aquí todo el tiempo que deseen y cuando estén listos, regresen a la conciencia completa. Ahora sean cuidadosos de no recrear en sus vidas, a través de sus pensamientos, sentimientos y palabras las energías que acaban de transmutar.

Los invitamos a que regresen a este templo en cualquier momento que quieran. La puerta está ahora abierta para Uds. El maestro Saint Germain estará con frecuencia allí para Uds. y sus ángeles estarán deleitados en ofrecer su amor y asistencia.

Al nosotros concluir nuestra charla del día, le expresamos nuestro honor por estar abiertos. Les enviamos nuestras bendiciones de amor, coraje y sabiduría. Nosotros también nos unimos a nuestro querido amigo Saint Germain el cual se compromete a enviarles olas de Llama Violeta dentro de sus corazones para todos aquellos que estarán leyendo este material más tarde. Y que así sea.

## Sección de Oraciones

# *Invocación a las Siete Llamas Sagradas para la Sanación y Transformación Personal y Planetaria*

*Formulen estas oraciones una vez, tres veces, seis veces o nueve veces por cada una, de acuerdo a su guía interna. Cada vez que repiten una oración, están elevando el momento de Luz codificada en la oración.*

## Oraciones e Invocaciones para el Primer Rayo
## La Llama Azul Royal de la Voluntad de Díos

# La Oración de Rendición

*Por el Maestro El Morya*

Amado Padre/Madre Díos, en Tus manos yo encomiendo mi ser. Usa mi amor, mis pensamientos y mi vida en servicio desinteresado hacia Ti. Descarga de mi todo lo que dificulta el cumplimiento de mis propósitos sagrados y Ascensión. Enséñame a ser bondadoso en las formas de la Hermandad de la Luz. Dirige y establece mi corriente de vida en forma tal que, diariamente y en cada hora, mi verdadera identidad en Díos sea manifestada.

Amada Presencia de Díos YO SOY, Eterno Padre/Madre Díos,
Que el convenio que hago Contigo sea ¡totalmente realizado!
Que yo viva mi vida para sentir ¡Tú Amor y ver Tú Luz!
Que Tú Voluntad sea manifestada en la ¡Tierra como es en el Cielo!
Dentro de Tus manos yo rindo mi ser, que a través mío,
Díos sea glorificado en ¡todas las cosas!
¡Que así sea amado YO SOY!

## Para un Campo de Fuerza de Protección

*La luz es la más poderosa emanación de toda la Creación. Es importante invocar el Poder completo del Primer Rayo de Díos para la Protección y la Voluntad Divina.*

En el nombre de mi amada Presencia YO SOY, desde el Corazón de Díos, yo invoco un rayo del Primer Rayo de Díos de Protección para ser colocado sobre mi. Permítele que envuelva cada célula, átomo y electrón de mi Ser, encapsulándome en un campo de fuerza invencible de la Voluntad Sagrada de Díos. Permite a este rayo de Luz Azul Zafiro expandirse dentro de mis distintos cuerpos y en todas mis chakras.

LIBÉRAME de cualquier cosa que sea menos que la Luz más elevada dentro de mí. Permite que la Llama Azul Divina de Amor guarde mi campo de fuerza de protección diariamente y cada hora. Yo sé que "YO ESTOY" absolutamente protegido todo el tiempo y en todos los lugares. Yo expreso mi profunda gratitud por toda la asistencia que me es dada en mí siempre. Amén.

## Oraciones e Invocaciones para el Segundo Rayo Dorado Amarillo de la Llama de Iluminación

### *Llamada a la Llama de la Iluminación*

Llama de Iluminación desde el Corazón de Díos
Expande siempre tú Luz a través de mí
Dorada Llama desde el Corazón de Díos
Llena mi corazón con tú Rayo de Sabiduría
Llama de Iluminación desde el Corazón de Díos
Expande la Mente de Díos a través de todos mis pensamientos
Llama Dorada desde el Corazón de Díos
Ilumina la Tierra con tu Luz Dorada
Llama Dorada desde el Corazón de Díos
A tú Amor y Luz yo me inclino (3x)

# *Invocación al Sol*

*Padre/Madre Luz de nuestro Sistema Solar*

¡Helios y Vesta! ¡Helios y Vesta! ¡Helios y Vesta!
Permite que tú Luz Dorada fluya dentro de
¡cada parte de mi ser!
Permite que tú Luz Dorada se extienda dentro de mi
¡Sagrado Corazón!
Permite que tú Luz Dorada se extienda a través de
¡toda la Tierra!
Permite que la Tierra ascienda dentro de
¡Su Glorioso Destino!
Y permíteme ascender dentro de mi gloriosa Ascensión. (3x)

**Oraciones e Invocaciones para el Tercer Rayo
De la Llama Rosa Rosada del Amor Cósmico**

## Adoración a Tú Presencia de Díos

Amada Gran Presencia, YO SOY,
Tú Vida que pulsa mi corazón,
Enciende ahora tus Rayos de Amor radiantes.
Permíteme ser un pilar de Amor para todos.
Inúndame con Tú Gloria y
Deja que mi corazón esté siempre Contigo.

Mi amada Presencia de Díos, YO SOY
Yo invoco tu gran Resplandor
Infunde mi mente y corazón con Tú Amor
Expande y eleva mi conciencia
a la Octava de Luz de los Maestros Ascendidos
Con todo Tú Amor, con todo Tú Amor
Únete a mí, más y más cada día,
hasta que yo llegue a Ser Tú en manifestación

YO ESTOY, YO ESTOY adorándote, (3x)
En gratitud profunda, yo te ofrezco mi amor a Ti (2x)
Ámame, ámame, ámame. (2x)
¡Amado YO SOY, Amado YO SOY, Amado YO SOY!

# *Oración para el Amor Divino*

En el Nombre de mi Amada Presencia YO SOY
Yo llamo el Poder del Amor Divino para ser amplificado
diariamente dentro de mi corazón y dentro de mi mundo.
YO SOY Amor, Amor Alegre,
Amor Radiante, ¡Amor incondicional!
Díos consume mis sombras
¡Transmutándolas en Amor!

Este día, YO SOY el enfoque del Amor Divino
Fluyendo a través de ¡cada célula de mi ser!
YO SOY una corriente viviente de puro Amor Divino
Que nunca puede ser calificado por ¡el miedo,
la rabia, odio, disgustos y avaricia!
Todos los pensamientos y sentimientos negativos
Son AHORA disueltos y consumidos
por el poder del Amor Divino el cual ¡YO SOY!

YO SOY, YO SOY, YO SOY Amor,
Yo vivo en la conciencia del ¡Amor!
YO SOY Amor en su expresión total,
¡Yo irradio amor! YO SOY Amor en acción
Bendiciendo a todo el género humano ¡con Amor Divino!
¡Yo irradio amor! YO SOY Amor en acción
Bendiciendo, Elevando y Sanando ¡a todos en la Tierra!

## Oración e Invocación para el Cuarto Rayo Blanco y Deslumbrante de la Llama de la Ascensión

### Afirmaciones de la Ascensión

*Por el Arcángel Gabriel*

YO SOY una fuente de Juventud y Pureza Eterna
YO SOY la plenitud de mi Victoria en Cristo
YO SOY uno con el Corazón de Díos
YO SOY la Pureza de Amor
YO SOY la Pureza de la Llama de la Resurrección
YO SOY la Pureza de la Llama de Sanación
YO SOY la Pureza de la Llama de la Ascensión
YO SOY la Pureza de todos mi deseos
YO SOY la Pureza de todos mis pensamientos y sentimientos
YO SOY la Pureza de mis intenciones
YO SOY la Pureza de todas mis chakras
YO SOY la Pureza del Amor en forma física
YO SOY Díos en acción en todo lo que hago
YO SOY la plenitud de mi Ascensión en la Luz
Yo reclamo mi Libertad y Victoria en la Luz ¡AHORA!
*(Repetir cada afirmación 3 veces)*

# *Oración para el Amor a Sí Mismo y para la Ascensión*

Desde el Señor Díos de mí Ser, YO SOY Ese YO SOY, yo decreto:
Yo tengo Amor por mi viaje hacia la Ascensión.
Yo tengo Compasión por todos los dolores físicos y emocionales que todavía tengo que sanar.
Yo doy gracias que ahora estoy sanando el pasado
y resucitando lo nuevo.
Como un Maestro de expresión Divina, caminando en la Tierra,
Yo ahora enciendo la Luz de mi Divinidad.
Yo ahora activo y transformo el ADN
a su potencial de la quinta dimensión.
Yo ahora escojo sanar y rejuvenecer completamente
mi cuerpo físico.
Yo escojo permanecer feliz, en armonía y agradecido.
Yo reclamo la maestría que es mía para manifestar mí libertad.
Yo permito a mi Divinidad manifestarse
en la forma más maravillosa.
Yo doy gracias, que está hecho de acuerdo a la
¡Voluntad Sagrada de Díos!
Yo llamo a un rayo de Luz de la Ascensión para resplandecer a través de mí, diariamente y cada hora.
¡Y que así sea, amado YO SOY!

*(Repetir 3 veces)*

## Oraciones e Invocaciones para el Quinto Rayo de la Llama de Sanación Verde Esmeralda

# Oración para Pedir Milagros

*¡Reclama un milagro de sanación en tu Vida!*

En el nombre de la Luz de Díos que nunca falla
Yo acepto un milagro de sanación en mi vida este día.
Yo reclamo un milagro en cada nivel de mi ser.
Yo reclamo un milagro de Amor para mi completa Resurrección.
Amado Padre/Madre Díos,
Enciende Tú Luz milagrosa ahora.
Yo pido por un milagro de sanación del Maestro Ascendido
En mi corazón, en mis chakras y en mi ADN.
Enciende la Luz milagrosa de los Siete Rayos
Enciende la Luz milagrosa del Espíritu Santo
En todas partes de mi ser donde la sanación es necesaria.
Yo declaro que YO SOY un milagro de Díos este día.
YO SOY un milagro en acción hecho manifiesto.
YO SOY un milagro de Luz resplandeciente desde el Gran Sol Central dándome la Resurrección de regreso a mi verdadera identidad en Díos.
Enciende los milagros de Luz a través de mí.
¡Amado YO SOY, Amado YO SOY, Amado YO SOY!
*(Repetirlo tres veces)*

## Sanación a Través de Descargar Energías Negativas

Yo soy un Maestro de Expresión Divina. Ahora descargo a todas las separaciones y limitaciones que no me sirven en mi camino de Luz. Yo descargo todos los votos de pobreza y limitaciones que alguna vez he hecho en esta vida y en encarnaciones pasadas. Yo descargo todas las impresiones, implantes, formas de pensamiento negativo, maleficio de magia negra y maldiciones, patrones negativos del ego humano, enfermedades y patrones de enfermedades y todas las energías que no me sirven más en mi camino de la Luz.

Por la intervención de la Gracia Divina, con mi intención completa, yo escojo descargar todas las energías de separación, limitación y todas las obstrucciones de regreso al Universo. Yo pido para que estas energías sean purificadas y transformadas dentro de la forma ¡más grande de Luz!

Yo invoco la asistencia de los Reinos Angélicos, el Maestro Hilarión, Madre María, Arcángel Rafael, mi Monada y todos los Maestros Ascendidos para descargar de mi ser y mi mundo todos los niveles de energías que estan por debajo de mi Plan Divino de Perfección y mi Victoria Eterna en la luz a través de mi Ascensión. ¡Y que así sea, amado YO SOY!

# Yo Ahora Acepto Mi Abundancia

En el nombre de mi amada Presencia YO SOY y mí amado Ser del Cristo Sagrado, yo llamo a los Nobles de la Manifestación, Ángeles de Prosperidad, Fortuna, Diosa del Suministro y el Noble del Oro, para asistirme ahora, en la maestría de todas las condiciones externas en mi vida, en la forma perfecta de Díos, incluyendo mi verdadera abundancia.

¡Carguen! ¡Carguen! Carguen dentro de mi vida para usar hoy todas las bendiciones que son mías para recibir. Infúndeme con la Sabiduría y Pureza del Maestro Ascendido para que yo nunca pueda otra vez sentir falta ó limitación. Enciende tú Llama del Corazón a través de mis cuatro sistemas de cuerpos y extiende sin límites un gran flujo de abundancia divina. Satúrame con suficiente Llama Violeta y Luz Sanadora Esmeralda para mantener mi vida en perfecto balance y armonía.

Yo demando La Protección y Sabiduría invencible de Díos en todos mis esfuerzos financieros. Yo demando llegar a ser un imán de atracción, trayendo hacia mí toda la riqueza que necesito para cumplir mi plan divino en la tierra, para hacer mi Ascensión y para asistir a mis semejantes para que hagan lo mismo. Yo doy gracias que está hecho de acuerdo a la Voluntad Sagrada de Díos. Yo acepto mi abundancia ahora con Amor y Gratitud. ¡Y que así sea, amado YO SOY!

*La gratitud es la llave para atraer mayor abundancia. Muestra siempre gratitud por todo lo que recibas. Valora la maravillosa abundancia que ahora estamos recibiendo de los Reinos de la Luz. ¡Que seas el Dios victorioso en todo lo que hagas!*

## Oraciones e Invocaciones para el Sexto Rayo Dorado Anaranjado-Amarillo de la Llama de la Resurrección

### Afirmaciones de la Resurrección

Decir: "YO SOY la Resurrección y la Vida" tres veces, agregando a esta afirmación cualquier oración que deseen para especificar lo que Uds. desean resucitar, tal como:

YO SOY la Resurrección y la Vida de mi perfecta salud
YO SOY la Resurrección y la Vida de mis finanzas
YO SOY la Resurrección y la Vida de los regalos de mi divinidad.
YO SOY la Resurrección y la Vida de mi juventud y belleza eterna
YO SOY la Resurrección y la Vida de mi trabajo perfecto.
YO SOY la Resurrección y la Vida de la llama de mi corazón.
YO SOY la Resurrección y la Vida de mi visión perfecta
YO SOY la Resurrección y la Vida de mi relación perfecta.

***¡No existen límites, agreguen algunas de su propia creación!***

## Oración de San Francisco

SEÑOR, hazme un instrumento de Tú paz.
Donde hay odio, déjame sembrar amor.
Donde hay herida, perdón,
Donde hay duda, fe
Donde hay desesperación, esperanza,
Donde hay oscuridad, luz,
Y donde hay tristeza, alegría.

DIVINO MAESTRO, concédeme que yo no busque
Tanto el ser consolado como consolar,
El ser entendido como entender,
El ser amado como amar.
Porque es en dar cuando recibimos,
En perdonar cuando somos perdonados,
Y en morir cuando renacemos a la vida eterna.

***Decirlo cada día tres veces y esperen ¡un milagro de transformación!***

## Oraciones e Invocaciones para el Séptimo Rayo de la Llama Violeta Royal de Transmutación

### *Invocación a la Llama Violeta*

En el nombre del YO SOY Aquel Que YO SOY, yo ahora llamo a la acción de la Llama Violeta de Transmutación para ser activada dentro de la totalidad de mi conciencia, mi ser y mi mundo.

> Fuego Violeta desde el Corazón de Díos (3x)
> Extiende Tú Luz a través de mí cada día. (3x)
> Transmuta y sana mis imperfecciones humanas
> dentro del Diamante brillante del corazón de Díos
> y la perfección de Cristo.

Al yo rendirme a Tú Luz Radiante, toma dominio sobre mi vida. Arde en acción la Llama de la Misericordia del corazón compasivo. Extiende y satura dentro de mí las maravillas de la Luz Violeta hasta que YO ESTE transformado totalmente. Amada Presencia YO SOY envía la Llama Violeta para purificar cada célula, átomo y electrón de mi ser hasta que YO SEA elevado dentro de mi Victoria Eterna por la acción del Fuego Violeta y la Llama de la Ascensión. Y así es, ¡Amado YO SOY!

## Inunda la Tierra con el Fuego Violeta

En el nombre del Gran YO SOY, yo llamo la Luz de miles de soles desde el Gran Sol Central, Ángeles del Fuego Violeta, Amado Saint Germain, Amado Zadkiel y Sagrada Amatista, Omri Tas, regente del planeta Violeta.

En el nombre de Díos, ¡YO SOY Aquel que YO Soy! Satura la Tierra y toda Su evolución con olas ilimitadas del Fuego Violeta. Yo llamo la acción de la Llama Violeta Transmutadora y la acción de la Voluntad de Díos para manifestar en la Tierra, ahora y por siempre, una espiral en continuo incremento de la Perfección Divina. Yo llamo para que toda la discordia y actividades en la Tierra, que no estén reflejando la Luz más elevada y el Sagrado Propósito de Díos, sean milagrosamente llevadas y transformadas por el poder de la Llama Violeta, dentro del Amor Divino y Armonía para la restauración de la Tierra y Su gente, dentro del plan original de perfección que fue la intención original.

¡Llama Violeta! ¡Llama Violeta! ¡O Llama Violeta! En el nombre de Díos, inunda la tierra, Su gente y todos Sus reinos con océanos y océanos del Fuego Violeta, hasta que cada partícula de Vida sea restaurada a la Perfección Divina. ¡Que la Paz y el Amor sean regados a través de toda la Tierra! ¡Que la Tierra permanezca en el aura del amor Perfecto!

¡Que la tierra permanezca en un aura de Paz, Amor y Libertad! ¡Yo doy gracias que es hecho ahora de acuerdo a la Sagrada Voluntad de Díos! ¡Que así sea, Amado YO SOY!

# Acerca de Aurelia Louise Jones

Aurelia Louise Jones nació en Montreal de una familia Canadiense Francesa a principios de los años cuarenta. Ella se graduó como enfermera en el comienzo de su carrera y trabajó como Consejera de Salud la mayor parte de su vida adulta como naturopata y homeópata, usando varias modalidades holísticas. Se mudó a los Estados Unidos en 1989.

Bajo el patrocinio de la Hermandad de Luz y la orden de Melchizedek, fue ordenada como ministro en 1998. Desde entonces ella ha dedicado la mayor parte de su tiempo a su ministerio espiritual. En su papel como una maestra espiritual de la conciencia elevada, su enfoque principal es despertar la conciencia de la humanidad a la verdad espiritual que lleva a la Ascensión.

En 1997, mientras vivía en Montana, recibió una guía directa de Adama y el Consejo de Luz de Lemuria de Telos para que se mudara a Mount Shasta en preparación para el cumplimiento de su trabajo con ellos, el cual ha llegado a ser la expresión mayor de su vida. Ella se mudó a Mount Shasta un año después en Junio de 1998.

Aurelia es la fundadora y dueña de la Publicación de la Luz de Mount Shasta y la Red de la Conexión de Lemuria. En respuesta a un pedido de Lady Kuan Yin Aurelia Louise canalizó a través de su gato Ángelo un mensaje importante del reino animal, el cual se encuentra ahora en forma de un folleto llamado: *"El Mensaje de Ángelo al Mundo."* Ángelo es su gato favorito que encarnó para estar con ella y poder traer su mensaje en representación del reino animal.

Ella publicó la serie de los libros de Telos Volumen 1, 2 & 3 y ahora *"Las Siete Llamas Sagradas,"* trayendo las enseñanzas de Lemuria a la población de la superficie. La publicación de la serie de Telos ha sido publicada en muchos países y en varios lenguajes.

El contenido de los libros trae herramientas importantes para el entendimiento de nuestro futuro en el planeta, cómo la vida ha sido realmente diseñada para vivir y cómo podemos cambiar nuestra realidad presente a un mundo de amor y Luz.

Aurelia Louise canaliza a Adama, el alto sacerdote de la ciudad Lemuriana de Telos, así como también a otros Maestros de Luz como parte de su misión. Ella sostiene reuniones Lemurianas de tiempo en tiempo y facilita viajes iniciáticos en el área de Mount Shasta en verano. También da conferencias y talleres en varios países del mundo.

### *Nota de Aurelia Louise Jones*

Por favor tomen nota que yo recibo cada día un gran número de cartas de todas partes del planeta y ha llegado a ser literalmente imposible para mí responder aunque sea un pequeño porcentaje de esta cantidad de cartas, y al mismo tiempo hacer el trabajo que me es asignado cada día para escribir y publicar las enseñanzas de Lemuria para la expansión de mi misión y atender mis obligaciones personales.

Yo leo sus cartas y desearía poder contestar sus comunicaciones que vienen desde sus corazones. Su amor es recibido y apreciado, pero no es posible para mí contestar más de 100 cartas personales cada semana. Les pido su entendimiento y compasión.

¡Que la Paz y el Amor estén con Uds.!

## *La Fundación Mundial de Telos*

*Misión*

Somos una organización sin fines de lucro dedicados a la expansión de la información y enseñanzas que viene de Telos en preparación del surgimiento eventual de nuestros hermanos de Lemuria que van a salir a la superficie para enseñarnos una nueva forma de vivir iluminados.

*Meta*

Las Metas de la Fundación son las siguientes:

- Promover la expansión de la misión Lemuriana en Canadá y mundialmente,
- Apoyar los escritos y trabajos de Telos,
- Asistir a otros grupos, especialmente grupos internacionales, para estructurarse en promover las enseñanzas de Telos,
- Construir centros para la enseñanzas y hermandad, y
- Para recabar fondos para cumplir nuestras metas.


Dirección: Telos World-Wide Foundation, Inc.<br>
Center 7400<br>
7400 St. Laurent, Office 326<br>
Montreal, QC - H2R 2Y1 - CANADA

Teléfono: (001 Int.) 1-514-940-7746<br>
E-mail: telos@telosinfo.org<br>
Web Site: www.telosinfo.org


### *Telos de Francia*


Gaston Tempelmann, presidente<br>
telosfrance@mac.com<br>
www.telos-france.com


### *Telos Europe*


www.teloseurope.eu<br>
telos-europe@mac.com

*Publicaciones de Mount Shasta Light Publishing*

**The Seven Sacred Flames**..........................................$39.00

**Las Siete Llamas Sagradas** ......................................$24.00

**Seven Flames Prayer Booklet** ...................................$7.00

**Folleto de las Oraciones de las Siete Llamas Sagradas** ...$7.00

**Ascension Activation Booklet** ..................................$7.00

**Folleto de la Activación de la Ascensión** ......................$7.00

**Telos** – Volume 1 "Revelations of the New Lemuria" .......$18.00

**Telos** – Volume 2 "Messages for the Enlightenment
of a Humanity in Transformation" ..............................$18.00

**Telos** – Volume 3 "Protocols of the Fifth Dimension"......$20.00

**The Effects of Recreational Drugs**
on Spiritual Development.......................................... $4.00

**Angelo's Message** – "Angelo, the Angel Cat
Speaks to all People on this Planet regarding the
Treatment of Animals by Humanity"............................ $8.00

Estas publicaciones pueden ser compradas:

- Directamente de nosotros por teléfono ó correo al apartado de correos
- Desde nuestra Página Web que tiene seguridad: https://www.mslpublishing.com
- En Amazon.com
- Librerías a través de New Leaf distribuidor de libros

Al ordenar por correo, los residentes de CA, por favor incluyan 7.25% del impuesto de venta. También incluyan los cargos de envío: correo Prioridad ó Media, de acuerdo al peso y la distancia.

Mount Shasta Light Publishing
P.O. Box 1509, Mount Shasta, CA 96067-1509
Teléfono: 530-926-4599
*(Si no hay contestación, por favor deje mensaje)*